Éduquer à la santé

L'ESSENTIEL DE LA THÉORIE ET DES MÉTHODES

Louise Hagan, Ph. D.
avec la collaboration de **Louise Bujold, Ph. D**

Éduquer à la santé

L'ESSENTIEL DE LA THÉORIE ET DES MÉTHODES

Deuxième édition, revue et augmentée

Manuel de formation

Presses de l'Université Laval

Les Presses de l'Université Laval reçoivent chaque année du Conseil des Arts du Canada et de la Société de développement des entreprises culturelles du Québec une aide financière pour l'ensemble de leur programme de publication.

Nous reconnaissons l'aide financière du gouvernement du Canada par l'entremise du Fonds du livre du Canada pour nos activités d'édition.

Mise en pages : Diane Trottier
Maquette de couverture : Laurie Patry

ISBN: 978-2-7637-2160-6
pdf: 9782763721613

Dépôt légal 2e trimestre 2014

www.pulaval.com

TABLE DES MATIÈRES

Remerciements

La rédaction de cette deuxième édition du manuel de formation *Éduquer à la santé. L'essentiel de la théorie et des méthodes* a été motivée par le désir d'enrichir certaines parties du contenu de chacun des trois modules à la suite des commentaires reçus des étudiants qui ont utilisé la première édition lors de leur formation universitaire et aussi à partir des suggestions de quelques collègues professeures qui enseignent cette matière au premier cycle universitaire des sciences infirmières. Je tiens ainsi à remercier plus particulièrement la collaboration des collègues enseignantes suivantes : Louise Bujold de l'Université Laval pour la rédaction de la partie traitant de l'adaptation de l'intervention éducative aux caractéristiques culturelles de la personne, ainsi qu'Emmanuelle Jean de l'Université du Québec à Rimouski, Mélissa Lavoie de l'Université du Québec à Chicoutimi et Line St-Onge de l'Université de Sherbrooke pour leurs commentaires et suggestions lors de la rédaction de cette nouvelle édition revue et augmentée.

Introduction

La santé est un des dons précieux que la vie peut offrir à une personne. Selon l'Organisation mondiale de la santé[1], il s'agit d'un état de bien-être physique, mental et social qui permet à une personne de vivre au maximum de son potentiel en ayant la capacité de faire des choix éclairés afin de maintenir ou d'améliorer ce potentiel. Cette vision positive est différente de celle qui a longtemps été promue dans le passé où la santé était définie comme l'absence d'une maladie ou d'une infirmité. La santé est maintenant vue plutôt comme un moyen d'atteindre un but, une ressource de la vie quotidienne pour mener une vie productive.

Nous portons tous une responsabilité individuelle et collective à l'égard de notre condition de santé. Les lois, les règlements et les orientations politiques en matière d'environnement sont évidemment des moyens essentiels au maintien et à l'amélioration de la santé des populations[2]. Il faut cependant aussi faire appel à diverses autres stratégies d'action pour promouvoir la santé. L'éducation à la santé est l'une de ces stratégies. Elle est d'ailleurs considérée depuis plusieurs décennies comme une composante essentielle des soins de santé primaires, selon la Déclaration d'Alma-Ata sur les soins de santé primaires[3].

1. OMS, 1999.
2. O'Neill et collab., 2006.
3. OMS, 1978.

L'éducation à la santé a pour but ultime d'améliorer la qualité de vie des personnes en leur permettant de faire des choix éclairés en matière de santé et de participer activement à son maintien ou à son amélioration par l'adoption de comportements qui leur seront favorables. Éduquer à la santé est en quelque sorte une forme d'éducation à la liberté de choix et d'action ; en acquérant des compétences ou des habiletés, une personne devient plus apte à choisir et à décider des moyens de se maintenir en santé ou à s'adapter à une condition de santé plus précaire. De plus, elle pourra exercer plus librement son autonomie et faire des choix plus éclairés sur les nombreuses mesures préventives et thérapeutiques pouvant lui être proposées.

Tous les professionnels de la santé ont, à des degrés divers, selon leurs propres compétences et selon leur disponibilité, une responsabilité d'éducation à la santé dans l'exercice de leur profession. La fonction éducative peut avoir diverses finalités. On peut viser la promotion de la santé physique et mentale en facilitant l'adoption et le maintien de saines habitudes de vie et l'autogestion des facteurs de risque à la maladie. Il s'agit alors d'une perspective de prévention primaire. L'éducation peut aussi viser à éviter la détérioration d'une maladie physique ou mentale par le dépistage et l'apprentissage de l'autogestion des symptômes reliés et aussi par l'autogestion de mesures thérapeutiques afin de traiter un problème de santé chronique. Les interventions éducatives ont alors une perspective de prévention secondaire et tertiaire des problèmes de santé.

L'éducation à la santé représente une fonction assez complexe. Elle nécessite l'acquisition de compétences particulières qui ne peuvent se limiter à renseigner ou à informer sur la condition de santé et le traitement des maladies. Elle consiste plutôt à appliquer une démarche systématique de nature éducative et pédagogique. Éduquer à la santé implique l'établissement d'une relation interpersonnelle de partenariat et de réciprocité faisant partie d'un plan d'action concerté entre les partenaires : la personne concernée (individu et famille) et le professionnel de la santé.

Savoir efficacement éduquer à la santé nécessite alors l'acquisition de connaissances scientifiques issues du domaine des sciences de la santé et des sciences humaines. Le recours à la théorie pour guider les orientations des interventions éducatives et la consultation des résultats de recherche probants dans ce domaine permettront aux professionnels de la santé de faire des choix plus judicieux de méthodes et d'outils éducatifs adaptés aux caractéristiques de diverses populations, à la particularité des comportements de santé visés, par exemple l'adoption des habitudes de vie ou l'autogestion d'un plan thérapeutique, et aux contextes de l'intervention (centre hospitalier, clinique médicale ou service de santé communautaire, milieu de travail, domicile). L'éducateur ne doit-il pas bien comprendre les processus cognitifs et affectifs à la base de l'apprentissage des comportements de santé dans diverses situations afin d'adopter une stratégie éducative plus efficiente, visant des objectifs adéquats et au moment approprié ?

Cette deuxième édition du manuel se veut encore un outil d'apprentissage, plutôt concis et convivial, visant à faciliter la compréhension de notions théoriques essentielles pour l'exercice plus efficient de la fonction éducative. Elle constitue ainsi un ouvrage de synthèse, inspiré de diverses publications parmi les plus récentes traitant des principes qui guident chacune des étapes de la démarche éducative suivie par les professionnels de la santé. Nous avons ajouté et restructuré des éléments de contenu afin de préciser davantage certaines notions et leur application dans la pratique. Des références complémentaires permettront aux lecteurs d'approfondir le sujet.

La première partie du manuel présente les perspectives plus générales de l'éducation à la santé : une définition et une comparaison de l'éducation à la santé et de l'éducation thérapeutique, les règles d'éthique à respecter dans la pratique éducative et les barrières à franchir pour exercer plus efficacement l'éducation à la santé.

La deuxième partie est constituée de trois modules d'apprentissage des concepts généraux liés à chacune des étapes de la démarche éducative : module 1 – Planifier les interventions éducatives ; module 2 – Intervenir : faciliter le processus d'apprentissage des connaissances, des attitudes et des habiletés requises pour l'adoption de comportements favorables à la santé ; module 3 – Évaluer les interventions éducatives.

Chacun des modules présente les objectifs d'apprentissage. Un glossaire est aussi fourni pour donner la signification de certains termes utilisés dans le manuel. Les références bibliographiques se trouvent à la fin du manuel.

Dans ce manuel, le terme « éducateur » sera utilisé pour désigner tout professionnel de la santé exerçant une fonction éducative auprès de diverses clientèles. Le genre masculin a été choisi pour alléger le texte, sans discrimination de genre.

PARTIE 1

PERSPECTIVES GÉNÉRALES DE L'ÉDUCATION À LA SANTÉ

Il importe d'adopter un langage commun dès le départ en définissant le concept de l'éducation à la santé. Éduquer à la santé est une démarche systématique qui s'apparente à la démarche de résolution de problèmes. À l'instar de tout autre type d'intervention professionnelle, l'éducation à la santé doit se faire dans le respect des règles de l'éthique. Elle est également parfois tributaire de barrières ou de divers facteurs inhérents au contexte de l'intervention et aux capacités d'apprentissage des individus. Dans cette première partie, nous visons les objectifs suivants :

Objectifs d'apprentissage

(*Au terme de la lecture de cette partie, vous serez en mesure de...*)

1. Définir les concepts de l'éducation à la santé et de l'éducation thérapeutique.
2. Définir les règles de l'éthique guidant l'exercice de la fonction éducative.
3. Discuter des barrières à l'exercice de l'éducation à la santé.

1. DÉFINIR L'ÉDUCATION À LA SANTÉ[1] : ADOPTER UN LANGAGE COMMUN

Depuis plusieurs années, l'éducation à la santé fait partie d'un ensemble de stratégies d'action du domaine plus vaste de la promotion de la santé (Charte d'Ottawa, Agence canadienne de santé publique, 1986). Elle est ainsi une stratégie complémentaire aux stratégies de communication de masse, de « marketing » social,

1. Terme français équivalent : éducation pour la santé.

d'action politique et communautaire et de changements organisationnels.

L'éducation à la santé est la composante des soins de santé primaires qui vise à faciliter les apprentissages nécessaires à l'adoption de comportements favorables à la santé. On utilise parfois des termes différents pour désigner la fonction éducative des professionnels de la santé. On retrouve notamment les appellations suivantes : éducation des patients (*patient education*), éducation sanitaire (*health education*), éducation thérapeutique des patients (*therapeutic patient education)*, enseignement aux patients ou enseignement à la clientèle (*patient teaching*). Les appellations varient souvent selon la provenance des publications sur le sujet et les courants de pensée émergeant au fil du temps dans les milieux universitaires et les milieux cliniques. Quelle que soit l'appellation choisie, toutes font référence aux notions théoriques guidant la démarche éducative visant l'adoption et l'autogestion de comportements favorables à la santé (saines habitudes de vie et autosoin). Dans ce manuel, nous utiliserons donc l'appellation plus inclusive d'« éducation à la santé » pour désigner de façon générale l'exercice de la fonction éducative par les professionnels de la santé dans la perspective de la prévention autant primaire que secondaire et tertiaire.

Nous analyserons néanmoins ici les particularités des deux concepts couramment mentionnés dans les écrits francophones qui traitent du rôle éducatif des professionnels de la santé : l'éducation à la santé et l'éducation thérapeutique.

A. Qu'est-ce que l'éducation à la santé ?

Nous avons fait le choix d'adopter une définition encore souvent citée dans les écrits scientifiques et les articles professionnels traitant de l'éducation à la santé. Cette définition est celle qui a été initialement formulée par Lawrence W. Green en 1980, mais qui a été reprise plus récemment :

> L'éducation à la santé est un ensemble planifié d'expériences d'apprentissage visant à prédisposer une personne et à la rendre apte à adopter volontairement des comportements favorables à la santé ainsi qu'à soutenir l'adoption de ces comportements[2].

Cette définition a le mérite d'être concrète et explicite quant aux objectifs particuliers à atteindre par les interventions éducatives. Nous l'utiliserons donc comme cadre de référence dans ce manuel afin d'assurer une interprétation sans équivoque de l'orientation choisie. Les mots étant porteurs de sens, analysons les composantes de cette définition.

D'entrée de jeu, le terme « éducation » est préféré à celui d'« enseignement ». Le terme « éducation » a en effet une visée plus large que le terme « enseignement ». Éduquer vise le développement global du potentiel de la personne pour l'exercice optimal de son autonomie. Enseigner a par ailleurs une visée plus restrictive et fait référence surtout à l'instruction, à la transmission de connaissances. L'enseignement fait certes partie de l'action éducative, mais la finalité de l'éducation est plus large, plus « holiste ». Elle prend en compte la globalité de la personne, ses acquis, ses priorités, ses expériences de vie, son contexte de vie et son environnement. Elle suppose également l'établissement d'une relation interpersonnelle aidante et de réciprocité entre l'éducateur et la personne.

Analysons plus en détail la signification donnée à chacune des composantes de la définition.

Ensemble planifié signifie que les apprentissages nécessaires à l'adoption des comportements favorables à la santé doivent être systématiquement définis, organisés, planifiés pour plus d'efficience et d'efficacité. Ils seront organisés en s'inscrivant dans une dynamique de *démarche éducative/pédagogique* qui s'apparente largement à la démarche de résolution de problèmes. Les trois étapes d'une telle démarche sont les suivantes : planifier, intervenir et évaluer[3].

---

2. L.W. Green et M.W. Kreuter, 1999, p. 11 (traduction libre).
3. Les connaissances reliées à la réalisation de chacune de ces étapes de la démarche éducative/pédagogique sont présentées dans la partie 2, modules 1, 2 et 3.

[...] ***d'expériences d'apprentissage*** signifie qu'il n'y a pas une façon unique d'apprendre. Les personnes ont des styles d'apprentissage différents. Elles peuvent avoir plus ou moins de capacités ou de limitations pour apprendre. L'art d'éduquer à la santé doit tenir compte de ces facteurs. De plus, le choix des expériences d'apprentissage varie selon le type et le niveau d'apprentissage visés. Les expériences d'apprentissage varient également selon le contexte de l'intervention éducative et les ressources disponibles.

[...] ***visant à prédisposer*** signifie viser à rendre la personne réceptive, accroître et soutenir sa motivation à apprendre et à adopter un comportement favorable à sa santé.

[...] ***rendre apte*** signifie rendre capable, développer les habiletés requises à l'adoption d'un comportement favorable à la santé.

[...] ***soutenir*** signifie aider par divers moyens (renforcement, rétroaction) à maintenir le comportement de santé nouvellement acquis.

[...] ***l'adoption volontaire de comportements favorables à la santé*** signifie que l'éducation à la santé exclut donc toute forme d'action coercitive. L'apprentissage des comportements favorables à la santé est plutôt un acte volontaire. Éduquer à la santé peut être considéré comme une forme d'éducation à la liberté, à l'autodétermination et à l'autonomie en matière de santé. C'est aussi un moyen d'aider les gens à faire des choix éclairés, à avoir davantage la maîtrise de leur vie et de leur qualité de vie. Dans cette optique, un comportement favorable à la santé est une action reliée à la préservation, à la restauration ainsi qu'à l'amélioration de la santé. Il peut donc s'agir d'une habitude de vie ou d'un autosoin.

On peut ici rappeler les notions de prévention primaire, secondaire et tertiaire dans les buts visés par l'éducation à la santé. Ainsi, lorsque les personnes concernées par des interventions éducatives ne souffrent pas d'un problème de santé particulier, mais qu'elles manifestent des comportements susceptibles de les rendre à risque d'en souffrir, l'éducateur proposera l'élimination de ces comportements par l'adoption de comportements ou d'habitudes de vie plus favorables à la santé. Il planifie donc ses interventions dans une perspective de prévention primaire ou de promotion de la santé. À titre d'exemple, viser, par un programme d'éducation à la santé, à faire adopter des habitudes de saine alimentation et d'exercices physiques par des enfants ou des adolescents en milieu scolaire est une perspective de prévention primaire de l'obésité et, conséquemment, du diabète et des maladies cardiovasculaires.

Les interventions éducatives peuvent aussi être faites dans une perspective de prévention secondaire ou tertiaire. Elles viseront alors à stopper ou à retarder l'évolution d'une maladie et de ses effets par une participation accrue de la personne à l'autogestion de moyens de dépistage/surveillance des symptômes et de mesures thérapeutiques visant à réduire les risques de complication et de chronicité. Par exemple, un programme éducatif à l'intention de personnes présentant quelques signes et symptômes de diabète visera une participation accrue de la personne dans l'autogestion des habitudes de vie adaptées à sa condition et, le cas échéant, l'observance d'un plan thérapeutique médicamenteux visant à maintenir un niveau optimal de la glycémie pour prévenir les complications inhérentes au diabète.

Enfin, **la santé** fait référence à un concept plus large que l'absence de maladie. Elle concerne la capacité d'adaptation d'une personne, sa capacité de vivre au maximum de son potentiel physique, psychologique et social et de faire des choix d'actions pour améliorer sa qualité de vie.

En dernière analyse, cette conception de l'éducation à la santé projette clairement l'éducateur dans un rôle de facilitateur et de partenaire auprès des personnes en situation d'apprentissage.

B. Qu'est-ce que l'éducation thérapeutique ?

L'éducation thérapeutique est un concept plus récent que celui de l'éducation à la santé. On parle le plus souvent de l'éducation thérapeutique du « patient ». Elle trouve un ancrage à la fois dans la médecine, la pédagogie et les sciences humaines et sociales (psychologie de la santé, sociologie, anthropologie, etc.) (HAS, 2007).

L'éducation thérapeutique vise à aider les personnes[4] à acquérir ou à maintenir les compétences dont elles ont besoin pour gérer au mieux leur vie avec une maladie chronique. Comme le terme l'indique, ce type d'éducation constitue ou fait parti du traitement de la maladie. Elle vise plus particulièrement à aider les personnes (ainsi que les membres de leur famille) à comprendre leur maladie et leur traitement, à collaborer ensemble et à assumer leurs responsabilités dans leur propre prise en charge dans le but de maintenir et d'améliorer leur qualité de vie (HAS, 2007). Les deux principales finalités de l'éducation thérapeutique sont les suivantes :

1. *Acquisition et maintien de compétences d'autosoin*

Il s'agit, par exemple, pour une personne concernée par un problème de santé ou une maladie chronique, d'acquérir les connaissances et les habiletés nécessaires pour être capable de surveiller, de mesurer et de soulager des symptômes, d'adapter des doses de médicaments, d'entreprendre un traitement, de réaliser des gestes techniques et des soins, de modifier des habitudes de vie, de faire face aux problèmes occasionnés par la maladie, d'amener son entourage à participer à la gestion de la maladie, des traitements et des répercussions qui en découlent.

2. *Mobilisation ou acquisition de compétences d'adaptation*

Il s'agit de compétences personnelles et interpersonnelles, cognitives et physiques pour vivre dans un environnement ou le modifier. Il est question notamment ici d'augmenter la connaissance de soi, la confiance en soi, la capacité de gestion des émotions et du stress, les habiletés de communication, de réflexion critique, de relations

4. Dans ce manuel, nous préférons utiliser le terme « personne » plutôt que « patient » pour désigner celui ou celle à qui l'on offre des services d'éducation à la santé. À notre avis, cette terminologie traduit mieux le sens de l'individualité et l'unicité de chacun que le terme « patient », terme plus générique ayant parfois une connotation péjorative désignant d'une certaine façon le rapport plutôt passif/soumission entre les individus et le système de santé.

interpersonnelles aidantes, de résolution de problème et de prise de décision.

L'éducation thérapeutique diffère de l'éducation à la santé dans la mesure où l'apprentissage à faire concerne la maladie, le corps, la chronicité, la mort et engage des réaménagements psychologiques et identitaires (J. Foucaud, J.A. Bury, M. Balcou-Debussche et C. Eymard, 2010).

Faut-il absolument faire une distinction entre l'éducation à la santé et l'éducation thérapeutique pour expliquer la démarche éducative inhérente à l'une et l'autre de ces deux activités éducatives ?

Pas nécessairement ! À l'instar de certains autres auteurs cités par le HAS[5], nous croyons que, bien que, l'éducation thérapeutique ait ses finalités particulières, cette forme d'activité éducative s'intègre au concept plus large de l'éducation à la santé. En effet, la démarche de l'une et l'autre de ces formes d'activités éducatives est essentiellement une démarche systématique de résolution de problèmes. Celle-ci est idéalement fondée sur des assises théoriques pertinentes à la situation de santé dont il est question. Elle vise à satisfaire les besoins particuliers d'apprentissage par l'utilisation de stratégies pédagogiques et relationnelles adaptées au contexte de l'intervention et aux caractéristiques personnelles de la clientèle concernée. Les deux types d'activités visent ainsi à accroître et à soutenir la motivation à adopter des comportements favorables à la santé, qu'il s'agisse d'une habitude vie ou d'autosoin (dépistage et auto-administration de mesures thérapeutiques). Pour ce faire, elles faciliteront l'acquisition de connaissances, d'attitudes et d'habiletés nécessaires pour une participation accrue et compétente dans les actions requises pour maintenir ou améliorer la condition de santé et ultimement la qualité de vie.

---

5. Pour mieux comprendre la particularité du concept de l'éducation thérapeutique du patient, nous vous suggérons de consulter les écrits publiés par la Haute Autorité de santé (HAS). Voir sur leur site à l'adresse suivante : http://www.has-sante.fr.

Bien que les définitions et les analyses de concepts puissent différer selon les écrits consultés et puisque ce manuel traite essentiellement de principes, de notions théoriques et de méthodologie guidant une démarche éducative assez similaire, nous ne ferons pas de distinction entre ces deux formes d'activités éducatives dans les parties qui suivent. Nous proposons plutôt une intégration de l'éducation thérapeutique au concept plus général de l'éducation à la santé.

ENCADRÉ 1

« **L'éducation à la santé** est un ensemble planifié d'expériences d'apprentissage visant à prédisposer une personne et à la rendre apte à adopter volontairement des comportements favorables à la santé ainsi qu'à soutenir l'adoption de ces comportements. » – L.W. Green et M.W. Kreuter, 1999, p. 27 (traduction libre)

« **L'éducation thérapeutique** vise à aider les personnes à acquérir ou maintenir les compétences dont elles ont besoin pour gérer au mieux leur vie avec une maladie chronique. » – OMS (1996), cité dans Haute Autorité de santé (2007)

L'éducation à la santé peut se faire de façon plutôt fortuite en profitant de toutes les occasions pertinentes lors des rencontres avec la clientèle pour faciliter l'apprentissage de moyens utiles au maintien ou à l'amélioration de la condition de santé. Le professionnel de la santé peut, par exemple, lors d'une rencontre avec une personne, dans une circonstance particulière, profiter de l'occasion pour informer, transmettre des connaissances, expliquer un phénomène, une technique d'examen, un traitement ou développer une habileté psychomotrice précise. L'intervention est alors généralement assez brève et vise des niveaux d'apprentissage moins élevés, le plus souvent les niveaux d'acquisition et de compréhension des connaissances transmises ou un niveau minimal d'habiletés[6].

6. Les notions théoriques traitant des domaines et des niveaux d'apprentissage visés seront abordées dans le module 2 du manuel.

Les interventions éducatives peuvent par ailleurs être plus formellement planifiées. Elles requièrent en général plus de temps et elles sont étalées sur une plus longue période. Elles nécessitent souvent l'application d'une variété d'activités éducatives permettant d'atteindre divers objectifs d'apprentissage. Ces activités éducatives plus formellement planifiées se font le plus souvent dans le contexte de programmes éducatifs de promotion de la santé ou de programmes éducatifs plus personnalisés à l'intention des personnes aux prises avec un problème de santé chronique.

Les notions théoriques guidant la planification des interventions éducatives sont présentées dans la partie 2, dans le module 1 du manuel.

L'éducation à la santé, à l'instar de tout autre type d'activité professionnelle, doit s'exercer dans le respect des règles d'éthique. Quelles sont-elles ?

2. LES RÈGLES D'ÉTHIQUE À RESPECTER LORS DE L'EXERCICE DE L'ÉDUCATION À LA SANTÉ

Il n'est pas toujours facile de prendre des décisions lors des interventions éducatives. Certaines situations posent un dilemme et d'autres suscitent des questions sur la meilleure conduite à suivre dans les circonstances. Les règles d'éthique peuvent alors être très utiles. Elles font référence aux valeurs morales servant de repères à l'éducateur pour prendre des décisions dans le meilleur intérêt et le respect des personnes.

Voici ces règles, telles qu'elles sont précisées par Janice Nelson (2008) :

1. **La bienfaisance** : faire le bien, éviter les dangers, agir dans le meilleur intérêt de la personne, promouvoir ce qui est bon pour elle. L'éducateur doit par exemple fournir toute l'information nécessaire pour une meilleure maîtrise d'un problème de santé

ou pour le prévenir, informer sur les risques potentiels d'une procédure, d'un traitement ou d'une action.

2. **La non-malfaisance** : ne causer délibérément aucun tort à la personne. L'éducateur ne doit pas cacher de l'information ou délibérément donner des informations incomplètes ou augmenter indûment l'anxiété de la personne, la punir ou la menacer de représailles.
3. **Le respect de la personne** : respecter le droit à l'autodétermination, promouvoir l'autonomie et la liberté d'agir, respecter la confidentialité. L'éducateur vérifie la véracité des propos et des écrits pour assurer un consentement éclairé, respecter la dignité, les limites et les valeurs de la personne et ne pas l'infantiliser.
4. **La justice** : dans un système de santé, toutes les personnes concernées ont le droit de recevoir des services éducatifs de qualité. L'éducateur doit par ailleurs assurer l'équité dans l'allocation du temps et des ressources pour répondre aux besoins de toutes les personnes qui sollicitent ses services.
5. **L'utilité** : dans un contexte de rationalisation des ressources humaines et financières, l'éducateur doit s'assurer de faire les interventions les plus utiles. Pour ce faire, il doit privilégier les approches les plus efficaces et les plus efficientes, fondées sur les résultats de recherches empiriques et sur les données probantes du domaine de l'éducation à la santé et d'autres domaines pertinents.

ENCADRÉ 2

Règles de l'éthique de l'éducation à la santé :

1. La bienfaisance 2. La non-malfaisance 3. Le respect de la personne 4. La justice 5. L'utilité

3. LES OBSTACLES À L'EXERCICE DE LA FONCTION ÉDUCATIVE

Les professionnels de la santé rencontrent malheureusement des obstacles dans l'exercice de leur fonction éducative. Ces obstacles concernent à la fois l'enseignement et l'apprentissage (Bastable, 2008). Il importe d'en prendre conscience pour tenter de les contourner ou de les supprimer afin de pouvoir exercer pleinement la fonction éducative auprès de la population.

Quels sont les obstacles les plus fréquents ?

1. Le manque de temps est certes un des principaux obstacles à l'exercice optimal des activités éducatives. Les courts séjours dans les services hospitaliers et dans les services ambulatoires ainsi que la durée moyenne des périodes de consultation auprès des professionnels de la santé font en sorte que la relation interprofessionnelle est souvent assez brève et parfois ponctuelle. La charge de travail et l'agenda des professionnels sont alors des obstacles fréquents à l'exercice optimal de la fonction éducative. Il faut donc savoir utiliser judicieusement toutes les occasions pour faciliter les apprentissages et le choix des contenus et des actions à poser, savoir doser le ratio efforts/résultats attendus et faire preuve de réalisme dans les objectifs poursuivis en tenant compte du contexte et des besoins particuliers d'apprentissage de la personne selon son état de santé.
2. La perception d'un manque de compétence ou de confiance en soi dans l'exercice de la fonction éducative constitue également un obstacle à l'éducation à la santé. La complexité de la fonction consistant à accroître les capacités des individus de maintenir ou d'améliorer leur état de santé peut engendrer la perception d'un manque de compétence et de confiance en soi pour y parvenir. L'éducateur prend progressivement conscience qu'il n'y a pas de « recette miracle » et qu'il ne suffit pas d'informer ou de renseigner les personnes pour faciliter l'apprentissage des connaissances et des habiletés requises pour l'adoption des comportements de santé. Il faut en effet une bonne maîtrise des contenus à enseigner et des stratégies éducatives à utiliser pour

faciliter les apprentissages visés. Heureusement ces compétences se développent progressivement. Certains programmes de formation des professionnels de la santé intègrent ces apprentissages dans leurs activités d'enseignement. L'expertise requiert cependant du temps et celle-ci s'acquiert par le cumul d'expériences professionnelles enrichissantes.

3. Les administrateurs des services de santé n'accordent pas d'emblée la priorité aux activités éducatives. Les actes techniques et les soins physiques occupent une grande proportion du temps disponible des professionnels de la santé au détriment parfois des interventions éducatives. Les ressources humaines et financières allouées aux activités éducatives s'avèrent souvent insuffisantes. La prévalence grandissante des maladies chroniques, en raison du vieillissement de la population et des conditions environnementales qui se détériorent dans bien des cas, suscite toutefois chez les décideurs une nouvelle volonté d'agir et d'accroître les capacités des personnes à prévenir ou à autogérer leur condition de santé. À cela s'ajoute un changement progressif des mentalités des citoyens où l'on constate un désir plus marqué pour des habitudes de vie et un environnement plus sains et une participation accrue aux décisions en matière d'accessibilité et de prestation des services de santé.

4. Un environnement de travail inadéquat est aussi souvent un obstacle à l'exercice de la fonction éducative. Le manque d'espace, le manque d'intimité, le bruit, les interruptions constantes dues à la séquence des traitements en milieu hospitalier notamment, sont autant de facteurs qui interfèrent avec la capacité du professionnel à se concentrer et à communiquer efficacement avec la personne.

5. Le doute que certains médecins, infirmières et autres professionnels entretiennent parfois envers l'efficacité de l'éducation à la santé pour aider les gens à améliorer leur santé constitue un autre obstacle à l'exercice des activités éducatives. Il peut être source de démotivation à déployer l'énergie requise et à consacrer le temps nécessaire à cette fonction. Il suffit pourtant de consulter les banques de données pertinentes et les multiples études de

type méta-analyse, traitant de l'efficacité de divers types de programmes éducatifs propres à des clientèles variées, pour constater que les programmes éducatifs ne permettent peut-être pas toujours de produire tous les résultats attendus, mais qu'ils contribuent souvent, à des degrés divers il est vrai, à améliorer les connaissances des clientèles et à accroître leur capacité de participer plus activement à l'autogestion des soins requis pour leur condition de santé. Ils contribuent aussi souvent à obtenir les résultats physiologiques attendus, notamment dans la gestion des maladies chroniques. Les auteurs des méta-analyses constatent par ailleurs parfois la difficulté d'interpréter les résultats en raison du manque d'information sur le contenu des programmes évalués, de la variabilité de la fiabilité et de la validité des devis de recherche utilisés.

6. La communication insuffisante ou l'absence de rédaction systématique des informations relatives à l'éducation (besoins d'apprentissage, interventions éducatives réalisées et résultats observés) dans le dossier des personnes constitue aussi un obstacle aux activités éducatives. Il est difficile dans ce contexte d'assurer une continuité et une complémentarité des interventions faites par les divers membres de l'équipe interprofessionnelle.

ENCADRÉ 3

> Les obstacles à l'enseignement : le manque de temps, la perception d'un manque de compétence et de ressources, l'environnement physique inadéquat, le manque de confiance envers l'efficacité des interventions éducatives, le manque de communication entre les éducateurs ou les professionnels de la santé.

L'éducateur fait face à divers obstacles à l'apprentissage, aux obstacles inhérents à la personne en situation d'apprentissage.

Quels sont les obstacles reliés à l'apprentissage ?

1. Le manque de temps en raison d'un congé rapide du milieu de soins de la personne.

2. Le stress, l'anxiété, les déficits sensoriels et le degré d'alphabétisation et de littératie en matière de santé sont d'autres exemples d'obstacles à l'apprentissage.

3. L'influence négative de l'environnement hospitalier caractérisée par la perte de contrôle sur les événements, le manque d'intimité et l'isolement social peuvent interférer avec le rôle actif de la personne dans la prise de décision et dans sa participation au processus d'enseignement-apprentissage.

4. Le degré de motivation, la réceptivité à l'apprentissage, le stade de développement de la personne et le style d'apprentissage sont autant de facteurs qui peuvent influencer le succès des interventions éducatives.

5. L'ampleur et la complexité du défi pour changer ou adopter un nouveau comportement de santé peuvent aussi avoir une influence sur l'apprentissage. La personne peut se sentir submergée et découragée d'atteindre les objectifs d'apprentissage visés.

6. Le manque de rétroaction positive ou de soutien de l'éducateur et des proches peut être source de démotivation et, de ce fait, faire obstacle à l'apprentissage.

7. Le déni du besoin d'apprendre, le ressentiment à l'égard de l'autorité ou de l'éducateur et le manque de volonté pour prendre des responsabilités peuvent constituer des obstacles psychologiques à l'apprentissage.

8. La fragmentation, le manque d'accessibilité des ressources et la complexité du système de santé ont souvent comme conséquence de provoquer la frustration et l'abandon des efforts de la personne pour participer à l'atteinte des objectifs d'apprentissage.

Encadré 4

Les obstacles à l'apprentissage : le manque de temps, le stress, l'environnement de l'apprentissage, le manque de motivation, la complexité de la tâche, le manque de soutien et de rétroaction des éducateurs, le déni du besoin d'apprendre, l'inaccessibilité des ressources.

PARTIE 2

APPLIQUER LA DÉMARCHE ÉDUCATIVE

Une démarche est une manière générale de penser, de raisonner, d'agir, d'intervenir, de procéder, de progresser (Legendre, 2005). La démarche éducative ou démarche pédagogique en est un exemple. Elle s'apparente à la démarche de la résolution de problème. Elle comporte trois étapes : planifier, intervenir, évaluer. Les fondements théoriques et les modalités d'application de chacune des trois étapes de la démarche éducative seront expliqués dans les modules correspondants de cette deuxième partie du manuel.

L'application de la démarche éducative est parfois plus ou moins informelle en raison de la nature du besoin d'apprentissage et du contexte de l'intervention. Elle peut en effet être fortuite ou ponctuelle à l'occasion par exemple d'une consultation brève ou lors d'un examen diagnostique. L'éducateur ne peut souvent, dans ces occasions, ni planifier ni évaluer de façon systématique ses interventions éducatives. L'accent sera mis plutôt sur la transmission des informations ou des connaissances requises pour obtenir la collaboration et la participation plus immédiate d'une personne ou pour la rassurer ou l'orienter au besoin vers des ressources utiles.

La démarche éducative peut par ailleurs aussi être plus formellement planifiée. Elle prendra alors la forme d'un programme éducatif plus complet et plus personnalisé. C'est dans cette perspective que nous présentons les fondements théoriques guidant la réalisation de chacune des étapes de la démarche éducative.

ENCADRÉ 5

Démarche : manière de penser, de raisonner, d'agir…

Démarche éducative : démarche de résolution de problème : planifier, intervenir, évaluer les interventions éducatives

MODULE 1

Planifier les interventions éducatives à l'aide du modèle *PRECEDE-PROCEED*

Objectifs d'apprentissage

(*Au terme de la lecture de ce module, vous serez en mesure de...*)

1. Définir le problème de santé à viser par le programme éducatif.
2. Déterminer les comportements favorables à la santé à faire adopter.
3. Formuler le but ou l'objectif général d'un programme éducatif.
4. Formuler les objectifs spécifiques d'apprentissage.
5. Déterminer les ressources nécessaires à la réalisation d'un programme éducatif.

Les professionnels de la santé doivent assez souvent planifier des programmes éducatifs à l'intention de clientèles particulières. Adapté au contexte de l'éducation à la santé, un programme éducatif peut être défini comme un ensemble d'interventions éducatives organisées de façon cohérente et de ressources mises en œuvre en vue de faciliter les apprentissages nécessaires à l'adoption de comportements favorables à la santé.

Il peut s'agir d'interventions éducatives à visée de promotion de la santé (prévention primaire) ou à visée préventive ou curative (prévention secondaire ou tertiaire).

ENCADRÉ 6

> Adapté au contexte de l'éducation à la santé, un programme éducatif est un ensemble d'interventions éducatives organisées de façon cohérente et de ressources mises en œuvre en vue de faciliter les apprentissages nécessaires pour l'adoption de comportements favorables à la santé.

Il sera donc utile dans ces divers contextes, pour plus d'efficience et d'efficacité, de procéder de façon systématique. Pour ce faire, le recours à des théories et des modèles pertinents pourra grandement aider l'éducateur à structurer le programme éducatif et à s'assurer d'un choix logique et plus judicieux des cibles à viser par les interventions éducatives. Nous partageons en ce sens la position selon laquelle il faut « comprendre pour agir et planifier pour intervenir » (Godin, 2012, p. 9).

Nous utiliserons ici le modèle PRECEDE-PROCEED[1] de Green et Kreuter (1999) pour guider la planification des interventions éducatives. Nous pourrions aussi utiliser un autre modèle de planification, celui de l'Intervention Mapping (IM) mis au point en 1998 par L. Kay Bartholomew, Guy S. Parcel et Gerjo Kok. Ces deux modèles de planification, qui ont une perspective commune, sont les plus cités dans les écrits scientifiques traitant de promotion de la santé et d'éducation à la santé. Dans les deux cas, il s'agit en effet d'une approche écologique selon laquelle la qualité de vie et la santé sont vues comme étant tributaires de facteurs déterminants tels les caractéristiques personnelles, les comportements individuels en matière de santé et l'environnement physique et social. Selon ces deux modèles de planification, les interventions éducatives auront pour but de faciliter l'adoption de comportements favorables à la santé afin de prévenir ou de traiter un problème de santé pouvant avoir des conséquences sur la qualité de vie des personnes.

---

1. PRECEDE : acronyme pour Predisposing, Reinforcing and Enabling Constructs in Educational Diagnosis and Evaluation. PROCEED : acronyme pour Policy, Regulatory and Organizational Constructs for Educational and Environmental Development.

Les étapes de l'IM s'apparentent largement à celles du modèle PRECEDE-PROCEED. Le schéma adapté du modèle PRECEDE-PROCEED présenté ci-dessous indique la correspondance entre les étapes de l'IM (voir l'encadré et les cercles) et les phases diagnostiques du PRECEDE-PROCEED.

Tentons, dans un premier temps, de mieux comprendre les composantes du modèle PRECEDE-PROCEED. Nous verrons par la suite comment utiliser ce modèle pour planifier les interventions éducatives.

Le modèle PRECEDE-PROCEED est conçu pour guider la planification de programmes de promotion de la santé et d'éducation à la santé. La composante PRECEDE de ce modèle a été initialement créée par L.W. Green au début des années 1980 et intégrée dans un modèle plus global de planification, soit le PRECEDE-PROCEED, en 1991 (L.W. Green et M.W. Kreuter, 1999).

L'utilisation du PRECEDE-PROCEED consiste à procéder à un raisonnement déductif de type « cause à effet » afin de retracer les facteurs ayant une influence déterminante sur la santé et la qualité de vie (voir les encadrés en bleu dans le schéma du modèle). PRECEDE et PROCEED fonctionnent en tandem en permettant la réalisation d'un ensemble d'étapes ou de phases de planification, d'implantation et d'évaluation des interventions de promotion de la santé et d'éducation à la santé.

Le choix des priorités et des objectifs établis dans les phases du PRECEDE sert ainsi à guider la réalisation des phases subséquentes de la composante PROCEED du modèle, soit la mobilisation des ressources, l'implantation et l'évaluation des interventions.

Les cinq premières phases diagnostiques du modèle PRECEDE-PROCEED guident donc plus directement la planification des interventions éducatives en permettant d'établir les cibles à viser par ces interventions. L'aspect « diagnostic[2] » ou évaluatif de chacune de

2. Diagnostic : terminologie parfois controversée depuis la création du modèle PRECEDE. Le terme anglais *assessment* lui est substitué dans les plus récentes éditions du volume de Green et Kreuter. Le terme équivalent en français pourrait être « évaluation ».

Schéma adapté du modèle PRECEDE-PROCEED de L.W. Green et M.W. Kreuter

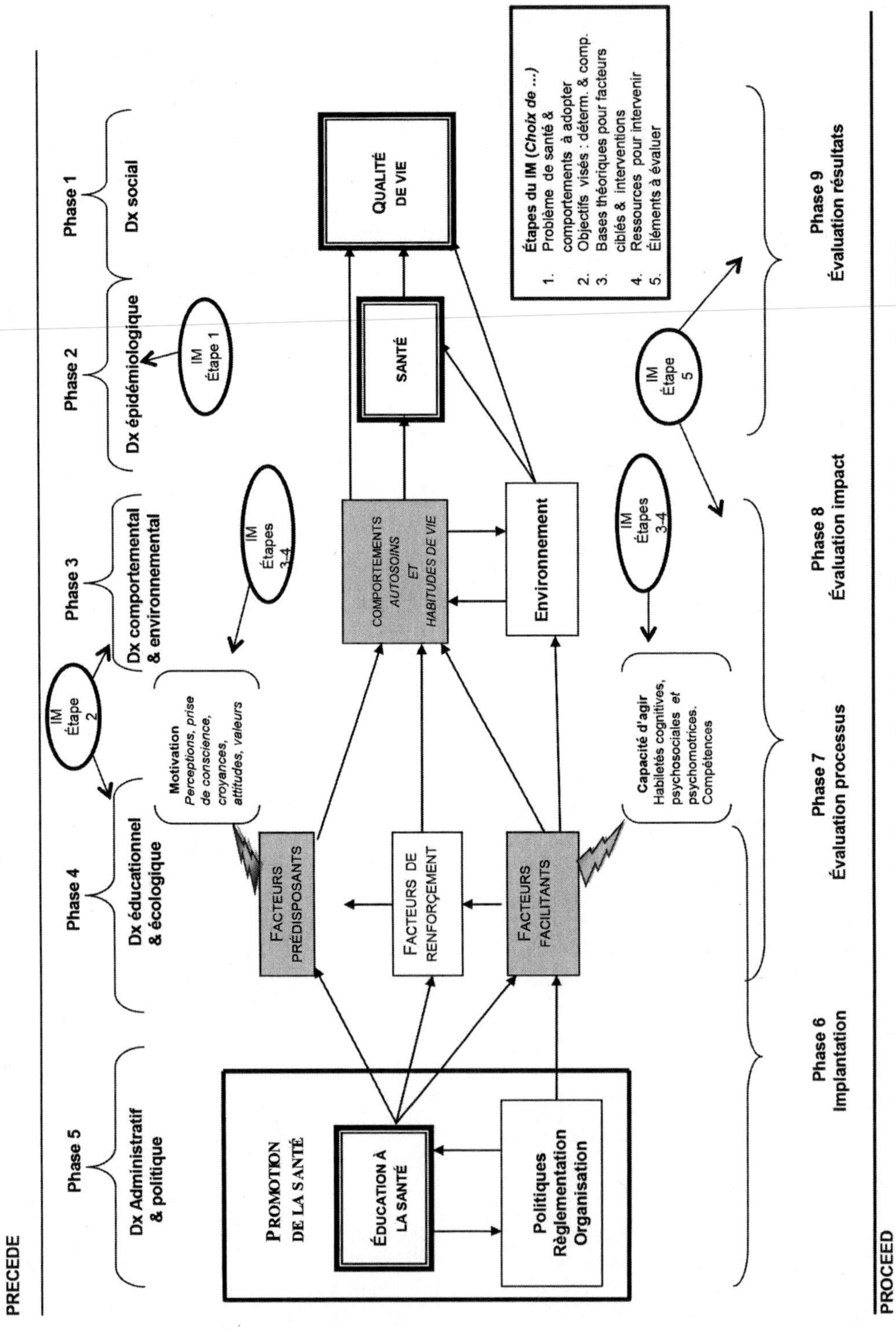

PRECEDE

Phase 5
Dx Administratif & politique

Phase 4
Dx éducationnel & écologique

IM Étape 2

Phase 3
Dx comportemental & environnemental

Phase 2
Dx épidémiologique

Phase 1
Dx social

IM Étape 1

Motivation
Perceptions, prise de conscience, croyances, attitudes, valeurs

IM Étapes 3-4

PROMOTION DE LA SANTÉ

ÉDUCATION À LA SANTÉ

Politiques
Règlementation
Organisation

FACTEURS PRÉDISPOSANTS

FACTEURS DE RENFORÇEMENT

FACTEURS FACILITANTS

COMPORTEMENTS
AUTOSOINS
ET
HABITUDES DE VIE

Environnement

SANTÉ

QUALITÉ DE VIE

Étapes du IM (*Choix de ...*)
1. Problème de santé & comportements à adopter
2. Objectifs visés : déterm. & comp.
3. Bases théoriques pour facteurs ciblés & interventions
4. Ressources pour intervenir
5. Éléments à évaluer

Capacité d'agir
Habiletés cognitives, psychosociales *et* psychomotrices.
Compétences

IM Étapes 3-4

IM Étape 5

Phase 6
Implantation

Phase 7
Évaluation processus

Phase 8
Évaluation impact

Phase 9
Évaluation résultats

PROCEED

PRECEDE- PROCEED de L.W Green & M.W Kreuter (1999) et Intervention Mapping de L.K Bartholomew & coll. (2006)

ces cinq phases signifie que, pour planifier un programme d'éducation à la santé, l'éducateur devra recueillir des informations particulières directement auprès de la clientèle concernée ou indirectement, en consultant des données officielles publiées par les organismes gouvernementaux afin de déterminer des cibles précises à viser par le programme éducatif (par exemple, le ministère de la Santé et des Services sociaux du gouvernement du Québec, les rapports sur la santé publiés par Statistique Canada, etc.). Dans le schéma adapté du PRECEDE-PROCEED, les flèches entre les composantes indiquent qu'il existe une forme de lien causal entre les phases diagnostiques. On indique ainsi le lien entre les trois catégories de facteurs constituant le diagnostic éducationnel et le diagnostic comportemental (habitudes de vie ou autosoin).

Parmi les trois catégories de facteurs du diagnostic éducationnel, les facteurs prédisposants et les facteurs facilitants (voir les encadrés gris dans le schéma du modèle) correspondent aux cibles susceptibles d'être plus directement visées par les interventions éducatives afin de favoriser l'adoption des comportements visés lors de la réalisation du diagnostic comportemental (phase 3). Les écarts à combler au niveau des facteurs prédisposants et des facteurs facilitants seront ultérieurement traduits en besoins d'apprentissage. Nous préciserons cet aspect un peu plus loin à la section 1.4 du manuel.

Les facteurs prédisposant à l'adoption d'un comportement de santé sont des éléments de motivation. Ces éléments sont les suivants : la perception d'un besoin à combler, les connaissances ou prises de conscience, les croyances, les attitudes et les valeurs. L'absence de l'un ou l'autre de ces facteurs devient un écart à combler pour mieux prédisposer une personne à adopter les comportements visés par le programme éducatif.

Les facteurs facilitant l'adoption d'un comportement de santé font référence à la capacité d'agir. Ce sont les habiletés personnelles ou les compétences requises facilitant l'adoption d'un comportement. Ces habiletés peuvent être d'ordre cognitif, psychosocial, psychomoteur. À titre d'exemples, il peut s'agir d'habiletés cognitives et de compétences psychosociales, telles la capacité de résolution de problèmes et de prise de décision, la communication, l'affirmation de soi ou, dans certaines situations, une habileté psychomotrice requise pour appliquer adéquatement une technique de soin ou un traitement.

Les facteurs de renforcement ne sont pas des besoins d'apprentissage comme tel, mais bien plutôt des moyens à mettre en place pour soutenir ou renforcer le maintien du comportement de santé nouvellement adopté. Ces moyens peuvent être le soutien ou la participation du réseau social ou familial de l'individu, les rétroactions positives ou constructives des professionnels de la santé, le soutien des pairs, etc.

La planification d'un programme éducatif est parfois un processus itératif de type « lave, rince et recommence ! » Il faut en effet parfois revenir à une étape précédente après l'obtention d'informations nouvelles lors de l'implantation des interventions éducatives.

Voyons maintenant de façon plus précise comment utiliser le modèle PRECEDE-PROCEED pour planifier les interventions éducatives.

1.1 DÉFINIR LE PROBLÈME DE SANTÉ À VISER PAR UN PROGRAMME ÉDUCATIF

La première phase diagnostique du PRECEDE-PROCEED est celle du diagnostic social. Cette phase consiste essentiellement à recenser les problèmes qui ont des conséquences sur la qualité de vie des personnes concernés par le programme éducatif à planifier. Elle implique généralement la participation de plusieurs sources d'information, tant objectives que subjectives, afin de mieux comprendre les aspirations de bien-être chez ces personnes. Cette évaluation peut être faite par diverses activités de consultation telles que des groupes de discussion, des sondages, des entrevues, etc. Ces consultations visent à amener les personnes à participer au processus de planification. Les problèmes qui affectent la qualité de vie peuvent être de différents types : socioéconomiques, environnementaux, condition de santé (physique ou mentale).

Diverses stratégies d'action du domaine de la promotion de la santé peuvent contribuer à améliorer l'environnement et la condition de santé des individus. Parmi ces stratégies d'action, l'éducation à la santé est une de celles ayant une influence directe sur la condition de santé. Il s'agit alors de réaliser la phase 2 du PRECEDE-PROCEED, soit le diagnostic épidémiologique en déterminant le problème de santé à viser par les interventions éducatives. Ce problème est parfois déjà établi lorsqu'on s'adresse à la clientèle d'un établissement de santé car ces personnes ont généralement un diagnostic médical confirmé de maladie chronique (ex. : diabète, insuffisance cardiaque, asthme, maladie pulmonaire obstructive chronique, etc.).

Les professionnels de la santé peuvent aussi être appelés dans certaines situations à établir eux-mêmes le diagnostic épidémiologique à partir de données existantes. Cette phase constitue en fait la partie plus objective du recueil des données justifiant l'implantation d'un programme éducatif. La consultation des statistiques gouvernementales et des organismes de santé publique sur l'état de santé des populations (morbidité et mortalité) peut grandement guider l'éducateur pour un choix pertinent d'un problème de santé qui pourrait devenir la cible prioritaire d'un programme d'éducation à la santé.

À titre d'exemple, chez les adolescents et les jeunes adultes, les données de santé publique révèlent une prévalence élevée des infections transmises sexuellement (ITS). Cette information peut guider le choix d'une cible à viser par un programme d'éducation à la santé en milieu scolaire. Quelques ITS sont susceptibles d'avoir des conséquences sérieuses dont des effets ultérieurs possibles sur la fertilité, surtout pour ce qui est de la gonorrhée et de la chlamydia.

Dans le contexte des programmes de santé et sécurité au travail, chez certaines catégories de travailleurs, l'épuisement professionnel relié au niveau de stress chronique est un problème de santé qui peut grandement affecter leur qualité de vie. Une période d'épuisement professionnel peut en effet entraîner une dépression. Un stress chronique peut aussi causer plusieurs dérèglements sur le plan physiologique. On sait, par exemple, que l'obésité, les maladies cardiovasculaires et le diabète de type 2 sont plus fréquents chez les personnes qui vivent une forte pression psychologique.

Chacun des problèmes de santé a ses déterminants. Ces derniers appartiennent à diverses catégories : des facteurs génétiques, des inégalités sociales, des facteurs environnementaux (physiques et sociaux), l'organisation des services de santé, le sexe, la culture et les comportements de santé ou les habitudes de vie. Tous ces déterminants, dont certains ne sont pas modifiables (ex. : facteurs génétiques, sexe), ne peuvent évidemment pas être les cibles d'un programme éducatif. D'autres déterminants de la santé (ex. : les inégalités sociales, l'organisation des services de santé) qui ne font pas directement appel à l'utilisation de stratégies pédagogiques (d'enseignement-apprentissage) seront plutôt la cible de stratégies d'actions complémentaires du domaine de la promotion de la santé, telles que l'action politique ou la réglementation, le changement organisationnel, la communication de masse et le marketing social. Les comportements de santé font par ailleurs directement appel à des interventions éducatives afin d'améliorer la condition de santé et, conséquemment, la qualité de vie.

Comment alors décider quels seront les comportements à viser par le programme éducatif ?

1.2 DÉTERMINER LES COMPORTEMENTS FAVORABLES À LA SANTÉ À FAIRE ADOPTER À LA SUITE DES INTERVENTIONS ÉDUCATIVES

Rappelons ici la définition de l'éducation à la santé de Green et Kreuter retenue comme référence pour ce manuel (voir au début de la partie 1 du manuel). Selon cette définition, *le but visé par les interventions éducatives est l'adoption volontaire de comportements favorables à la santé.*

Cette étape de planification est celle du diagnostic comportemental (phase 3 du modèle PRECEDE-PROCEED). Il s'agit pour l'éducateur de consulter les données probantes provenant des publications scientifiques du domaine de la santé et les données officielles des études sur la santé des populations provenant d'organismes gouvernementaux (ex. : les enquêtes de Santé Canada sur la santé des collectivités canadiennes, les enquêtes de l'Institut de la statistique du Québec).

Pensons par exemple au tabagisme associé aux maladies cardiovasculaires et au cancer du poumon et d'autres organes, aux comportements à risques multiples telles les combinaisons dangereuses d'alcools et de drogues, les relations sexuelles non protégées. Il existe un lien étroit entre le régime alimentaire en général, la consommation de gras en particulier, et certaines grandes causes de décès, dont les cancers et les maladies cardiaques. L'embonpoint et l'obésité, en raison des mauvaises habitudes alimentaires qui mènent éventuellement au diabète de type 2, sont de plus en plus fréquents chez les adultes et chez les jeunes.

Les saines habitudes de vie sont par ailleurs des comportements qui aident à se protéger des maladies et à améliorer l'état de santé. L'adhésion aux mesures de dépistage et au plan de traitement et d'autogestion de la maladie chronique est également un comportement déterminant l'état de santé des personnes.

Quels seront donc les comportements à adopter par la clientèle visée par le programme éducatif ? On doit d'abord en établir la liste.

Il peut y avoir plusieurs comportements déterminants d'un problème de santé. Par exemple, l'éducateur sait qu'une personne qui a reçu un diagnostic d'asthme devra adopter certains comportements pour une maîtrise optimale de son problème de santé. Ces comportements sont autant de cibles potentielles des interventions éducatives. Lors de l'entrevue initiale, l'éducateur devra poser les questions pertinentes afin d'évaluer si les comportements à adopter sont déjà acquis chez la personne. Il peut, pour ce faire, utiliser un guide d'entrevue standardisé permettant de recenser les comportements actuels de la personne.

Puisqu'il s'agit ici de l'adoption de comportements favorables à la santé, il est pertinent de penser en termes positifs, c'est-à-dire de traduire l'information recueillie sur les comportements actuels en comportements à adopter et non en comportements à cesser. Il est par exemple plus adéquat, dans le cas de l'asthme, de viser, s'il y a lieu, l'assainissement de l'environnement physique plutôt que la cessation de la cohabitation avec un animal domestique allergène, l'observance du plan thérapeutique tel qu'il est prescrit plutôt que la cessation de l'usage inadéquat des inhalateurs.

Il importe ici de bien faire la distinction entre le « comportement » et l'« habileté » lorsqu'il s'agit de planifier les interventions éducatives à l'aide du PRECEDE-PROCEED. Le comportement fait référence à une manière de se comporter, de se conduire, d'agir, de vivre constituant un risque pour la santé ou, à l'inverse, à une mesure préventive ou thérapeutique bénéfique à la santé. Par exemple, fumer, consommer à l'excès des aliments à haute teneur en gras saturés ou en gras trans ou trop de sucre ou trop d'alcool sont des comportements à risque pour la santé alors que faire régulièrement de l'exercice physique, gérer le stress, se soumettre à certaines mesures de dépistage, observer un plan thérapeutique sont des comportements susceptibles d'être favorables à la santé.

Une habileté fait pour sa part référence à un objet d'apprentissage, à l'utilisation efficace d'un processus cognitif, affectif ou moteur, dans la réalisation efficace d'une tâche, d'une compétence.

Ainsi l'acquisition d'un comportement favorable à la santé est le but visé par les interventions éducatives (phase 3 du PRECEDE-PROCEED) alors que les habiletés sont des cibles précises également visées par les interventions éducatives mais celles-ci font l'objet du diagnostic éducationnel (phase 4 du PRECEDE-PROCEED). Elles constituent les apprentissages requis pour l'adoption des comportements favorables à la santé (ex. : habileté cognitive de mémorisation, de compréhension, de résolution de problème, d'analyse, de prise de décision ou habileté psychomotrice ou technique). Voir la partie 1.4 du manuel pour comprendre la façon de procéder pour établir le diagnostic éducationnel.

Par où commencer ? Comment établir les priorités d'action parmi les comportements à adopter ?

L'éducateur doit établir des priorités d'action en fonction de ses disponibilités, des ressources dont il dispose et aussi parfois de la nécessité de répartir les activités éducatives sur une certaine période de temps afin de faciliter l'adaptation de la personne à sa nouvelle condition de santé. Green et Kreuter (1999) proposent la démarche suivante pour établir des priorités parmi les comportements à adopter :

- **Établir la liste des comportements à acquérir** parmi les comportements préventifs (prévention primaire) et les comportements thérapeutiques (prévention secondaire et tertiaire). Cette liste sera inspirée de la littérature scientifique et des lignes directrices guidant des pratiques thérapeutiques exemplaires dans divers domaines spécialisés (par exemple, le Consensus canadien du traitement de l'asthme ou du diabète, de l'hypertension, etc.).

  Exemple

  Pour bien maîtriser l'asthme, une personne devrait en principe adopter les comportements suivants :

  a) Observer le plan thérapeutique pour le contrôle des symptômes de l'asthme ;

  b) Assainir son environnement (éliminer les allergènes) ;

  c) S'abstenir de fumer.

- **Classifier les comportements par ordre d'importance**. L'importance est déterminée par la force de son lien avec le problème de santé, en d'autres termes, ce que l'on connaît comme étant le comportement principal à l'origine de la maladie ou à risque pour la santé (facteur de risque). On pourrait aussi les classer par ordre d'importance, en nous inspirant de l'échelle de hiérarchie des besoins fondamentaux établie par Maslow, selon que le comportement constitue une menace à la survie ou à la sécurité de la personne.

Exemple

Certains comportements sont reliés plus directement à la survie de la personne asthmatique, dont celui de l'observance des mesures thérapeutiques. On attribuera certes une plus grande importance à ce comportement et il deviendra une priorité d'action pour l'éducateur. L'assainissement de l'environnement n'est pas de moindre importance dans le cas de l'asthme, mais il peut temporellement venir en second lieu en matière de priorité dans la planification des interventions éducatives.

- **Attribuer une cote à chacun des comportements en fonction de la capacité de le changer**. Cette capacité est déterminée par divers facteurs : de combien de temps l'éducateur dispose-t-il pour tenter de modifier ou de faire adopter un comportement ? Les comportements qui sont devenus des habitudes de vie bien ancrées et qui sont des comportements très répandus sont généralement plus difficiles à changer.

Exemple

Nous pouvons affirmer que les comportements les plus faciles à changer sont ceux que la personne perçoit comme étant nécessaires à sa survie et à sa sécurité. Il y a de fortes chances qu'ils correspondent également aux comportements les plus importants à changer, comme cela a été expliqué précédemment. En ce qui concerne les habitudes de vie (contrôle de l'exposition aux allergènes d'origine animale et tabagisme), que faut-il mettre en priorité ? Jusqu'à quel point la personne est-elle disposée à modifier telle ou telle habitude de vie considérant l'ancrage de cette habitude dans sa vie quotidienne et son contexte de vie social et familial (par exemple, vivre en présence d'un animal domestique allergène) ? La meilleure façon d'en décider est certes d'en discuter avec la personne elle-même et d'établir une forme d'entente sur la priorité à accorder à l'apprentissage d'une habitude de vie pendant la durée du programme éducatif dans lequel elle sera engagée.

ENCADRÉ 7

Premières phases de planification d'un programme éducatif:

1. Définir le problème de santé à viser par le programme éducatif (phase 2 du PRECEDE).
2. Déterminer les comportements favorables à la santé à faire adopter à la suite des interventions éducatives et établir un ordre de priorités (phase 3 du PRECEDE).

Une fois que le problème de santé visé par le programme éducatif a été établi et que les comportements à adopter ont été définis, l'éducateur doit préciser ses intentions en formulant explicitement le but et les objectifs généraux du programme éducatif.

1.3 FORMULER LE BUT OU L'OBJECTIF GÉNÉRAL D'UN PROGRAMME ÉDUCATIF

Le but et l'objectif général sont des termes synonymes (Legendre, 2005). L'un et l'autre sont des énoncés définissant de manière générale ce à quoi on tente de parvenir, les intentions poursuivies, le résultat global que l'on se propose d'atteindre.

À titre d'exemple le but ou l'objectif général d'un programme éducatif à l'intention d'une personne adulte (ou d'un groupe de personnes adultes) pourrait être l'observance du plan thérapeutique de l'asthme ou du diabète de type 2. Un autre exemple de but d'un programme éducatif à l'intention des enfants d'une école primaire pourrait être une saine alimentation dans une perspective de prévention de l'obésité. Le but d'un programme éducatif à l'intention des adolescents pourrait être la pratique des relations sexuelles protégées.

Pour atteindre le but ou l'objectif général visé par le programme éducatif, il faudra préciser les apprentissages que devront faire les personnes concernées. Pour répondre à cette question, l'éducateur devra préalablement établir les besoins d'apprentissage afin d'être en mesure de formuler des objectifs d'apprentissage.

1.4 PRÉCISER LES BESOINS D'APPRENTISSAGE

Dans le contexte de l'éducation à la santé, un besoin d'apprentissage peut être défini comme un écart à combler entre le niveau actuel des connaissances, des perceptions et des croyances, des attitudes, des valeurs et des habiletés de la personne et le niveau requis pour prédisposer, motiver et faciliter l'adoption d'un comportement favorable à la santé. Dans le modèle PRECEDE-PROCEED, les connaissances, les perceptions, les croyances et les attitudes correspondent aux facteurs prédisposant ou motivant l'adoption d'un comportement de santé alors que les habiletés correspondent aux facteurs qui facilitent l'adoption d'un comportement de santé. Il s'agit donc de réaliser la phase 4 du modèle en établissant le diagnostic éducationnel. Pour ce faire, l'éducateur doit répondre à la question suivante : pour chacun des comportements visés par le programme éducatif, quels sont les facteurs prédisposants et les facteurs facilitants à être ciblés par les interventions éducatives ? Un écart à combler pour l'un ou l'autre de ces facteurs constitue un besoin d'apprentissage. Ces besoins d'apprentissage seront ensuite traduits en objectifs d'apprentissage.

Il existe généralement deux sources d'information pour établir les besoins d'apprentissage : l'éducateur et la personne directement concernée par le programme éducatif. L'établissement des besoins d'apprentissage consiste à concilier les perceptions de ces deux parties en vue de déterminer les objectifs à atteindre. La personne concernée est une source importante d'information pour repérer ses propres besoins d'apprentissage, tels qu'elle les perçoit, pour répondre à ses questionnements, ses préoccupations ou ses inquiétudes. La définition des besoins d'apprentissage devrait donc se faire conjointement et systématiquement avec les personnes directement concernées par le programme éducatif.

ENCADRÉ 8

Besoin d'apprentissage = écart à combler entre le niveau actuel des connaissances, des perceptions et des croyances, des attitudes, des valeurs et des habiletés de la personne et le niveau requis pour prédisposer, motiver et faciliter l'adoption d'un comportement favorable à la santé.

Comment procéder pour établir le diagnostic éducationnel (phase 4 du PRECEDE-PROCEED) ?

Selon le modèle PRECEDE-PROCEED, les connaissances, les prises de conscience, les perceptions, les croyances, les attitudes et les valeurs constituent autant de facteurs motivationnels intrinsèques prédisposant à l'adoption d'un comportement de santé.

De façon générale, l'attitude (la disposition intérieure d'une personne) à l'égard de l'adoption d'un comportement de santé est influencée par les connaissances acquises (ce qu'elle connaît et ce dont elle est consciente), par certaines croyances[3] (ce que la personne considère comme étant vrai) et par la perception d'un besoin (ce qu'une personne considère subjectivement comme étant un écart à combler, une réponse à obtenir pour assurer sa survie, sa sécurité ou son développement). Une attitude bien ancrée constitue une valeur personnelle à l'égard d'un objet ou d'un comportement.

Les habiletés (intellectuelles, psychosociales, psychomotrices) d'une personne sont des facteurs facilitant ou limitant l'adoption d'un comportement. Les habiletés intellectuelles, telle la compréhension, et les habiletés de résolution de problèmes et de prise de décision sont des habiletés constituant la capacité d'agir (*empowerment*) d'une personne. D'autres types d'habiletés psychosociales, telles l'affirmation de soi et la communication, sont également des habiletés constituant la capacité d'agir. Les habiletés psychomotrices font référence à la dextérité et à la coordination. L'absence de ces habiletés peut constituer une barrière à l'adoption d'un comportement.

---

3. Voir la partie 2.2.2 du module 2 pour plus de détails sur la nature des croyances déterminantes pour l'adoption d'un comportement de santé.

Les facteurs environnementaux peuvent aussi être des barrières à l'adoption d'un comportement. Bien qu'ils ne soient des besoins d'apprentissage comme tels, ils peuvent faciliter ou limiter l'adoption d'un comportement de santé. Ces facteurs sont, par exemple, le manque de ressources financières, un problème d'accès aux ressources de santé, etc. Certaines interventions éducatives viseront à mieux outiller la personne en matière de connaissances et d'habiletés requises afin qu'elle soit davantage en mesure d'agir efficacement à l'égard de ces facteurs environnementaux.

Le tableau 1 ci-dessous présente des exemples de questions à être posées lors de l'entrevue initiale afin de réaliser la phase 4 du PRECEDE-PROCEED, soit la formulation des facteurs prédisposants et des facteurs facilitants à cibler par les interventions éducatives. Les informations ainsi recueillies permettront ensuite d'établir les objectifs d'apprentissage. L'exemple d'une personne ayant un diagnostic d'asthme est utilisé ici pour illustrer la façon de faire.

L'entrevue initiale est généralement assez informelle et les questions ouvertes sont à privilégier pour obtenir des informations plus valides. Les questions de type « oui » ou « non » sont plus sujettes à la désirabilité sociale et, de ce fait, plus fragiles pour la validité des réponses obtenues.

Les écarts à combler au niveau des facteurs prédisposants et des facteurs facilitants constituent des besoins d'apprentissage. Afin de combler ces écarts, l'éducateur devra préciser davantage ses intentions quant aux résultats attendus chez la personne : connaissances, attitudes et habiletés à acquérir. Une façon simple et concrète de procéder est d'établir des objectifs d'apprentissage.

TABLEAU 1

Repères pour établir le diagnostic éducationnel (Phase 4 du PRECEDE-PROCEED)

1.	Ses connaissances (que sait-elle sur... ? que souhaite-t-elle apprendre à propos de... ? Qu'est-ce qui préoccupe le plus cette personne ?) : – *L'anatomie et la physiologie des poumons* – *La pathophysiologie de l'asthme* – *Les signes et les symptômes de l'asthme* – *Les facteurs déclenchant une crise d'asthme : facteurs personnels et facteurs environnementaux* – *L'effet d'autres problèmes sur l'asthme (exemple : rhinite et polype nasal)* – *Sa médication : nature, utilisation, effets secondaires* – *Le plan d'action en cas de crise d'asthme* – *Les ressources communautaires et les cliniques pertinentes*
2.	Ses croyances (croit-elle...) (voir la partie 2.2 du module 2 pour des explications sur les bases théoriques des croyances à déceler et des modalités d'interventions éducatives susceptibles de les influencer) : – *Être à risque de faire des crises d'asthme ?* – *Que l'asthme peut avoir des conséquences sérieuses sur sa qualité de vie et sa survie ?* – *Qu'il y a plus d'avantages que d'inconvénients à participer au traitement et aux mesures visant à prévenir les crises d'asthme ?* – *Que prendre sa médication et éliminer les facteurs environnementaux qui déclenchent des crises d'asthme seront des mesures efficaces pour les éviter ?* – *Être capable de lever les barrières qui rendent plus difficile la maîtrise de son asthme ?* – *Que l'opinion des personnes influentes est importante pour décider ou non de s'engager activement dans l'autogestion des mesures thérapeutiques pour le contrôle de l'asthme ?* – *Qu'il est important de se conformer aux opinions des personnes influentes quant à la pertinence d'adopter ou non l'autogestion des mesures thérapeutiques pour le contrôle de l'asthme ?*
3.	Ses attitudes (est-elle actuellement disposée à...) : – *Apprendre à maîtriser son asthme ?* – *Prendre les moyens pour maîtriser son asthme (prendre la médication et éliminer les allergènes) ?* – *Devenir autonome dans la maîtrise de son asthme en appliquant son plan d'action ?* *Si oui, dans quel délai probable, un mois, six mois ?*
4.	Ses habiletés intellectuelles (compréhension et résolution de problème), habiletés psychosociales et psychomotrices (est-elle capable de...) : – *Faire le lien entre ses symptômes et l'asthme et les conditions des bronches ?* – *Faire le lien entre les allergènes et la condition des bronches ?* – *Faire le lien entre la médication prescrite et la condition des bronches ?* – *Appliquer adéquatement son plan d'action en cas de crise de d'asthme ?* – *Poser des questions, affirmer ses besoins ?* – *Communiquer clairement ses idées et ses questionnements ?* – *Manipuler adéquatement un inhalateur ?* – *Manipuler adéquatement un débitmètre de pointe ?*

Les écrits récents du domaine de l'éducation thérapeutique utilisent plus souvent le terme de compétence : compétence psychosociale, compétence d'autogestion. De façon générale, une compétence est définie comme étant « un ensemble de connaissances, d'attitudes et d'habiletés permettant à une personne d'accomplir de façon adéquate un tâche ou un ensemble de tâches » (Legendre, 2005, p. 248). Ainsi, pour une personne diabétique, une compétence d'autogestion de la glycémie serait l'ensemble des connaissances, des attitudes et des habiletés requises lui permettant d'accomplir adéquatement les activités requises au contrôle de la glycémie : mesure de la glycémie, modification de l'apport calorique, gestion de l'activité physique, ajustement de la médication, etc.

1.5 FORMULER LES OBJECTIFS SPÉCIFIQUES D'APPRENTISSAGE

Après avoir réalisé les phases 3 et 4 du PRECEDE-PROCEED, à la lumière des informations obtenues, l'éducateur doit préciser les objectifs spécifiques à atteindre afin de guider le choix ultérieur des méthodes et des contenus éducatifs pertinents à utiliser et aussi de faire le choix des critères d'évaluation de l'efficacité des interventions éducatives. La formulation d'objectifs spécifiques d'apprentissage est un moyen pratique et concret de préciser les intentions et les résultats attendus à court terme des interventions éducatives.

De façon générale, un objectif spécifique d'apprentissage appartient à l'un ou l'autre des trois domaines d'apprentissage suivants :

a. Le domaine cognitif

Il s'agit des apprentissages du domaine de la pensée. Ceux-ci font référence aux aspects suivants : perception ou croyance, connaissance, prise de conscience et savoir, compréhension, résolution de problèmes et prise de décision. Ces aspects correspondent aux facteurs prédisposant et facilitant l'adoption d'un comportement de santé dans le modèle PRECEDE-PROCEED.

b. Le domaine affectif

Il s'agit de l'apprentissage, de l'acquisition ou de la modification des attitudes, des dispositions intérieures ou des valeurs. Ces aspects correspondent aux facteurs prédisposants dans le modèle PRECEDE-PROCEED.

c. Le domaine psychomoteur

Il s'agit de l'apprentissage d'habiletés psychomotrices telles la dextérité et la coordination lors de l'application de certaines techniques. Il correspond aux facteurs facilitants dans le modèle PRECEDE-PROCEED.

Chacun de ces domaines comprend des niveaux d'apprentissage différents (Legendre, 2005). L'éducateur doit connaître la nature et le niveau d'apprentissage à atteindre afin de choisir les méthodes et les outils éducatifs les plus appropriés.

L'énoncé d'un objectif spécifique d'apprentissage doit alors clairement préciser le **résultat attendu** (performance ou habileté) en utilisant un verbe d'action. Il doit aussi idéalement décrire le **seuil de performance** et les **conditions** dans lesquelles il sera atteint. Il importe ici de bien comprendre que le résultat attendu n'est pas le comportement de santé visé par les interventions éducatives. Il s'agit plutôt des préalables requis pour l'adoption de ce comportement. À titre d'exemple, pour une personne asthmatique, un comportement visé pourrait être l'autogestion adéquate de son plan d'action lors d'une crise d'asthme. Un objectif spécifique d'apprentissage facilitant l'adoption de ce comportement devrait préciser ce que la personne devra être capable de faire pour y parvenir. Elle devrait par exemple, lors d'une simulation de crise d'asthme, être capable de choisir la médication appropriée pour réduire la constriction des bronches.

Voici un exemple d'objectif spécifique d'apprentissage respectant les trois critères de formulation mentionnés précédemment, pour une personne ayant reçu un diagnostic d'asthme.

Au terme de la première rencontre (*condition de réalisation*), madame X sera capable de nommer (*verbe d'action*) quatre (*seuil de performance*) signes de détérioration de l'asthme (ensemble de l'énoncé = le *résultat attendu*).

Les objectifs spécifiques d'apprentissage de chacun des domaines (cognitif, affectif, psychomoteur) peuvent être de différents niveaux. Ces niveaux traduisent la complexité de l'apprentissage visé. Ils ont ainsi une forme de hiérarchie du plus simple au plus complexe. Il est très important de tenir compte des acquis de la personne comme point de départ pour proposer progressivement des apprentissages plus complexes s'il y a lieu. La formulation des objectifs spécifiques permettra donc de préciser le niveau d'apprentissage requis pour faciliter l'adoption du comportement de santé visé.

Tentons d'y voir plus clair...

Afin de permettre une formulation plus précise des objectifs spécifiques d'apprentissage, il est de pratique courante d'utiliser un mode de classification systématique et hiérarchisé des niveaux d'apprentissage pour chacun des trois domaines d'apprentissage : cognitif, affectif et psychomoteur. À cette fin, plusieurs taxonomies générales et simples peuvent être utilisées (Legendre, 2005).

Nous avons choisi celles qui sont les plus souvent citées dans les publications du domaine de l'éducation à la santé. Ce sont aussi celles que nous estimons les plus concrètes et les plus faciles à utiliser pour la planification des interventions éducatives.

Les niveaux d'apprentissage du domaine cognitif

L'apprentissage du domaine cognitif comprend six niveaux, classés selon la taxonomie de Bloom. Chacun de ces niveaux est en position hiérarchique. Ainsi, une personne ne peut comprendre si elle n'a pas d'abord les connaissances, si elle n'a pas conscience de..., et elle ne peut appliquer ou solutionner un problème si elle ne possède pas une bonne compréhension des connaissances acquises. Il faut donc planifier en fonction d'une gradation du plus simple au plus complexe. Pour cela, il faut savoir où se situe le besoin particulier de la personne afin de formuler des objectifs permettant un apprentissage progressif vers le niveau le plus élevé.

La taxonomie de Bloom a été révisée en 2001 (S.D. Krau, 2011 ; J.S. Atherton, 2011 ; W.L. Owen, 2006). La version révisée est sensiblement la même que la version originale pour les premiers niveaux d'apprentissage. Une nouvelle classification a toutefois été faite pour les niveaux plus complexes qui correspondent à la métacognition : le niveau « évaluation » précède celui de la « création » dans la version modifiée. De plus, l'appellation de deux des six niveaux d'apprentissage de la taxonomie de Bloom a aussi été modifiée : le premier niveau s'appelle maintenant « mémorisation » au lieu de « connaissance » et le niveau « synthèse » est maintenant sous l'appellation « création ».

Le tableau 2 ci-dessous présente les six niveaux d'apprentissage de la nouvelle taxonomie de Bloom ainsi qu'une liste de verbes d'action correspondant à chacun de ces niveaux. Un exemple de contenu d'objectif est aussi présenté à partir de la problématique de la maîtrise de l'asthme.

TABLEAU 2

Verbes d'action et exemples illustrant chacun des six niveaux d'apprentissage du domaine cognitif selon la taxonomie de Bloom révisée

1.	**Mémorisation** : repérer, connaître, mémoriser. **Verbes d'action** : décrire, nommer, repérer, définir, énumérer, désigner, sélectionner. • Exemple : nommer les indications de la prise de la médication prescrite.
2.	**Le niveau compréhension** : saisir les significations, interpréter, extrapoler. **Verbes d'action** : expliquer dans ses mots, interpréter, démontrer, illustrer, représenter, traduire, comparer. • Exemple : expliquer dans ses mots les conséquences du tabagisme sur les bronches.
3.	**Le niveau application** : résoudre des problèmes, réaliser une tâche en mobilisant des connaissances. **Verbes d'action** : appliquer, adapter, employer, compléter, résoudre, établir, mettre en œuvre. • Exemple : appliquer les consignes d'un plan d'action pour autogérer les symptômes de l'asthme.
4.	**Le niveau analyse** : distinguer, classer, mettre en relation les faits et la structure d'un énoncé ou d'une question. **Verbes d'action** : décomposer, extraire, rechercher, choisir, discriminer, comparer, catégoriser, inférer, relier. • Exemple : relier les symptômes d'une détérioration de l'asthme à des allergènes de l'environnement ou à une consommation inadéquate de la médication prescrite.
5.	**Le niveau évaluation** : estimer, évaluer ou critiquer en fonction de normes et de critères que l'on se construit. **Verbes d'action** : évaluer, juger, argumenter, critiquer, décider, tester, justifier, défendre, recommander. • Exemple : critiquer ses habitudes de vie à l'aide de critères internes et externes dans une perspective de prévention des crises d'asthme.
6.	**Le niveau création** : concevoir, intégrer des idées en une proposition, un nouveau point de vue, un plan, un produit nouveau. **Verbes d'action** : composer, construire, élaborer, inventer, mettre en rapport, organiser, planifier, réarranger. • Exemple : élaborer un plan d'action pour maîtriser les symptômes de l'asthme lors d'un voyage à l'étranger.

Les niveaux d'apprentissage du domaine affectif

La taxonomie de Krathwohl propose cinq niveaux d'apprentissage du domaine affectif. L'apprentissage des attitudes et des valeurs est généralement un processus à long terme. Les trois premiers niveaux d'apprentissage affectif seront donc les plus fréquemment visés dans le contexte de la pratique de l'éducation à la santé.

Le domaine affectif fait référence aux attitudes et aux valeurs. Celles-ci sont généralement acquises et non fortuites. Elles correspondent à la disposition intérieure, à l'état d'esprit de la personne à l'égard d'un objet, d'une idée, d'un apprentissage, d'un comportement. L'acquisition de cette disposition intérieure se fait graduellement, allant d'une conviction à l'égard d'un objet à l'adoption d'un système ou d'une échelle de valeurs. On ne peut mesurer directement des attitudes. On infère plutôt une attitude à partir de l'observation d'une action ou d'une disposition déclarée par une personne à l'égard d'un objet. Ainsi, on pourra mesurer les attitudes de la personne en l'interrogeant sur ses dispositions à l'égard du comportement de santé visé ou encore en observant une action et inférer l'attitude sous-jacente. On pourra alors déterminer l'apprentissage d'une attitude en fonction des niveaux décrits au tableau 3. Des verbes d'action pour chacun des niveaux d'apprentissage facilitent la formulation des objectifs spécifiques d'apprentissages correspondant.

TABLEAU 3

Verbes d'action et exemples illustrant chacun des niveaux d'apprentissage affectif selon la taxonomie de Krathwohl

1.	**Le niveau réception** : est conscient ou sensible à l'existence de certaines idées, phénomène, les tolère l'idée de... **Verbes d'action** : reconnaître la pertinence d'agir, accepter l'idée de devoir agir. • Exemple : reconnaît qu'il est important de prendre la médication prescrite pour traiter une crise d'asthme.
2.	**Le niveau réponse** : légère implication dans les idées nouvelles ou phénomène nouveau en y répondant. **Verbes d'action** : observance, suivre, être volontaire. • Exemple : accepter la responsabilité de modifier son environnement pour prévenir les crises d'asthme.
3.	**Le niveau valorisation** : consentir à être reconnu comme valorisant certaines idées, phénomènes, objets. **Verbes d'action** : renoncer à..., subventionner/payer pour..., supporter, débattre de..., s'engager à... • Exemple : s'engager à acheter un couvre-matelas antiacariens.
4.	**Le niveau organisation** : valeurs acquises et intégrée de façon harmonieuse et cohérente à une philosophie de vie. **Verbes d'action** : discuter, formuler, soupeser/comparer, examiner, faire des choix délibérés. • Exemple : choisir d'éliminer les allergènes contribuant à détériorer l'asthme.
5.	**Le niveau caractérisation/échelle de valeurs** : agir de façon cohérente avec l'échelle des valeurs intériorisées. **Verbes d'action** : réviser ses positions, éviter, résister, gérer, résoudre. • Exemple : quels que soient le contexte et les circonstances, adopter des habitudes de vie cohérentes avec une bonne maîtrise de l'asthme.

Les niveaux d'apprentissage du domaine psychomoteur

Le domaine psychomoteur correspond aux habiletés techniques, à la dextérité nécessaire facilitant l'adoption du comportement visé. Comme dans les domaines d'apprentissage précédents, il existe différents niveaux d'apprentissage psychomoteur. La taxonomie de Dave en dénombre cinq. À l'instar des niveaux décrits pour le domaine cognitif et le domaine affectif, les niveaux d'apprentissage psychomoteur sont aussi en position hiérarchique. On doit donc faire progresser la personne d'un niveau de complexité moindre à un niveau de complexité plus élevé. Au tableau 4, on présente des verbes d'action et des exemples de résultats illustrant chacun des niveaux d'apprentissage psychomoteur.

TABLEAU 4

Verbes d'action et exemples illustrant chacun des niveaux d'apprentissage psychomoteur selon la taxonomie de Dave

1.	**Le niveau imitation** : tendance spontanée à l'imitation. **Verbes d'action** : imiter, reproduire. • Exemple : imiter les étapes de la technique d'utilisation d'un inhalateur.
2.	**Le niveau manipulation** : exécuter un mode d'emploi. **Verbes d'action** : suivre des instructions. • Exemple : suivre les instructions écrites pour exécuter une technique d'utilisation d'un inhalateur.
3.	**Le niveau précision** : reproduire avec précision une action en l'absence de modèle. **Verbes d'action** : reproduire, refaire. • Exemple : utiliser un inhalateur sans l'aide d'un guide d'utilisation.
4.	**Le niveau structuration** : exécuter une série d'étapes de façon fluide et coordonnée. **Verbes d'action** : suivre harmonieusement une séquence d'actions. • Exemple : utiliser de façon coordonnée et fluide un inhalateur.
5.	**Le niveau naturalisation** : exécuter une action par automatisme et en utilisant un minimum d'énergie. • Exemple : exécuter automatiquement toutes les étapes de la technique d'utilisation d'un inhalateur.

Les objectifs généraux et spécifiques visés par les interventions éducatives ayant été établis, l'éducateur doit maintenant planifier les ressources requises pour atteindre ces objectifs. Il est alors possible qu'il faille reconsidérer le choix de certains objectifs considérant diverses contraintes de temps, de personnel et de matériel disponible. Quelles sont donc les questions auxquelles l'éducateur devra répondre pour s'assurer de la faisabilité des interventions projetées ?

1.6 DÉTERMINER LES RESSOURCES NÉCESSAIRES À L'ATTEINTE DES OBJECTIFS VISÉS

Nous utiliserons encore ici un exemple pour illustrer cette étape de la planification des ressources. Celle-ci correspond à la phase 5 du PRECEDE-PROCEED.

Supposons que vous ayez établi l'objectif général suivant :

Développer la compétence/capacité de monsieur « X » d'appliquer son plan d'action lors d'une crise d'asthme.

Comment planifier les ressources ? Les quelques exemples de questions ci-dessous pourront servir de repères pour aider à prendre les décisions pertinentes lors de la planification des ressources. Nous n'avons pas cru pertinent d'inclure des questions sur la planification budgétaire des interventions éducatives car dans la majorité des institutions du système de santé canadien, les professionnels de la santé ont un statut d'employés et la fonction éducative fait partie de leur rôle. Ceux-ci utilisent généralement le matériel mis à leur disposition. La planification des budgets correspondant n'est donc pas de leur ressort mais plutôt celui des administrateurs relevant des services de finances.

Il nous semble utile de rappeler ici qu'éduquer à la santé est une démarche qui requiert du temps et que l'apprentissage requiert également du temps pour intégrer et s'approprier des connaissances nouvelles et maîtriser des habiletés. C'est donc dans cette perspective que l'éducateur devrait planifier les ressources requises pour favoriser l'atteinte des objectifs visés.

- Q1 : Quel est **le temps requis** (périodes de temps) pour faire toutes les interventions éducatives nécessaires au développement des habiletés de monsieur « X » à appliquer son plan d'action en cas de crise d'asthme ?
  - Temps requis pour l'enseignement sur l'asthme : physiologie des bronches, symptômes d'une crise d'asthme, mesure du débit

expiratoire de pointe (DEP), nature du traitement prescrit, facteurs déclencheurs d'une crise d'asthme, etc. ?

- Temps requis pour l'enseignement sur l'utilisation des inhalateurs et autres traitements ?
- Temps requis pour l'enseignement sur les étapes du plan d'action en cas de crise d'asthme et leur application lors d'une simulation ?
- Temps requis pour l'enseignement sur les ressources professionnelles en cas de besoin ?
- Temps requis pour le suivi de l'enseignement : évaluation des apprentissages et enseignement supplémentaire ?

◆ Q2 : Quel personnel professionnel devra être impliqué dans les interventions éducatives à l'intention de monsieur « X » ?

- Consultation du médecin traitant ?
- Consultation de l'inhalothérapeute ?
- Référence au centre d'enseignement sur l'asthme ?

◆ Q3 : Quelles ressources matérielles seront nécessaires pour réaliser les interventions éducatives favorisant l'atteinte des objectifs spécifiques ?

- Matériel écrit : dépliant, matériel démonstrateur (inhalateurs, débit mètre, affiche sur les bronches), grille pour enregistrer les valeurs du DEP, etc. ?
- Local approprié ?
- Liste des ressources communautaires et médicales ?
- Ordinateur pour visualiser/consulter des sites Web pertinents pour monsieur « X » ?

Voilà qui est fait ! Les étapes de planification des interventions éducatives ont été réalisées. Il s'agit maintenant d'intervenir pour faciliter le processus d'apprentissage des connaissances, des attitudes et des habiletés requises pour l'adoption des comportements visés par les interventions éducatives.

Le module 2 du manuel présente les fondements théoriques pouvant guider le choix des interventions éducatives susceptibles de faciliter le processus d'apprentissage de comportements favorables à la santé.

MODULE 2

Intervenir : faciliter le processus d'apprentissage de comportements favorables à la santé

Cette étape de la démarche éducative consiste à utiliser diverses méthodes éducatives et les outils appropriés en vue de faciliter l'apprentissage des connaissances, des attitudes et des habiletés requises pour l'adoption de comportements favorables à la santé.

Objectifs d'apprentissage (*Au terme de la lecture de ce module, vous serez en mesure de…*)

1. Différencier les principes de trois différentes écoles de pensée à la base des théories de l'apprentissage applicables au domaine de l'éducation à la santé.
2. Identifier des stratégies éducatives permettant d'influencer les forces internes et les forces externes de la motivation à l'apprentissage de comportements favorables à la santé.
3. Identifier des stratégies éducatives facilitant l'apprentissage des connaissances et des habiletés requises pour l'adoption de comportements favorables à la santé.
4. Identifier des stratégies éducatives adaptées aux divers stades de développement de la personne.
5. Identifier des stratégies éducatives adaptées aux différents styles d'apprentissage.
6. Identifier les caractéristiques de la compétence culturelle dans le domaine de l'éducation à la santé.
7. Identifier des stratégies éducatives permettant de pallier les limites au niveau d'alphabétisation ou de littératie en santé et aux déficits cognitifs et sensoriels de la personne.

2.1 LES CARACTÉRISTIQUES DES TROIS ÉCOLES DE PENSÉE À LA BASE DES THÉORIES DE L'APPRENTISSAGE APPLICABLES AU DOMAINE DE L'ÉDUCATION POUR LA SANTÉ

Quelle que soit l'école de pensée ou la conception de l'éducation à laquelle on adhère, on fait toujours référence à deux concepts clés qu'il importe d'entrée de jeu de bien définir : l'enseignement et l'apprentissage.

Le terme enseignement provient du mot latin *insignare* qui signifie signaler, faire reconnaître. L'enseignement, tel qu'il a été souligné dans la première partie du manuel, a généralement une portée plus restrictive que le terme éducation, en mettant l'accent davantage sur la transmission des connaissances. Il est cependant considéré comme une part de l'éducation. L'enseignement est constitué d'un ensemble d'activités ou d'événements planifiés visant à faciliter l'apprentissage chez l'humain.

Le terme apprentissage provient du mot latin *apprehendere*, qui signifie saisir, s'emparer de..., appréhender. Ainsi, le *Dictionnaire actuel de l'éducation* définit l'apprentissage comme étant « un acte de perception, d'interaction et d'intégration d'un objet par un sujet. Acquisition de connaissances et développement d'habiletés, d'attitudes et de valeurs qui s'ajoutent à la structure cognitive d'une personne » (Legendre, 2005, p. 88). Apprendre est un processus continuel et il implique un changement durable.

Lors de l'exercice de la fonction éducative, l'éducateur sera inévitablement influencé par l'école de pensée de l'enseignement-apprentissage à laquelle il adhère... formellement ou intuitivement.

Globalement, il existe trois grandes écoles de pensée à la base des théories d'apprentissage. Celles-ci orientent le choix des méthodes éducatives ou d'enseignement à utiliser.

Ces conceptions de l'éducation sont largement inspirées des paradigmes de la psychologie du XXe siècle (Raymond, 2006). Il s'agit du béhaviorisme, du cognitivisme et de l'humanisme.

Quelle est donc la perspective de chacune de ces conceptions ? Quels sont les principes généraux de leur application pour l'enseignement-apprentissage dans le domaine de l'éducation à la santé ?

A) Le béhaviorisme

Le courant de pensée béhavioriste est apparu dans la première partie du XXe siècle avec les travaux de divers théoriciens, dont ceux du psychologue américain Burrhus Frederic Skinner, très influent représentant du béhaviorisme en ayant développé la théorie du conditionnement opérant. Essentiellement, sa thèse est la suivante : le comportement peut être structuré par l'utilisation appropriée de conditionnements[1] adaptés. Skinner rejette toute explication mentale ou cognitive du comportement. Il affirme que l'on doit accorder de l'importance à deux éléments : le stimulus et la réponse.

Selon ce courant de pensée, l'apprentissage est considéré comme un processus de modification durable du comportement. La personne étant sensible à son environnement, en la soumettant à un processus de conditionnement, il est possible d'arriver, par une association stimulus-réponse plus ou moins complexe, à cette modification durable souhaitée. Ce qui importe, c'est davantage l'état atteint que le processus qui y a conduit. Le conditionnement opérant se manifeste lorsqu'on agit sur le monde extérieur. Le comportement est alors contrôlé par les conséquences, ces stimulus qui suivent la réponse et qui prennent la forme d'un renforcement. Le renforcement est donc un événement qui suit la réponse et qui tend à renforcer le comportement nouvellement acquis. L'apprentissage se produit lorsque le comportement subséquent est influencé par les renforcements positifs ou négatifs. Le comportement ainsi renforcé dans une situation donnée a des chances de se reproduire dans d'autres situations.

1. Le conditionnement est un processus par lequel on peut modeler un comportement, une attitude, au moyen de la répétition d'effets positifs ou négatifs (Legendre 2005).

Le béhaviorisme réduit ainsi l'apprentissage à une observation des comportements acquis par conditionnement. Le béhaviorisme évacue ni plus ni moins toutes les entités inobservables, telles que l'âme, l'esprit, la pensée, la conscience, les attitudes, etc. L'idée centrale de cette façon de concevoir l'enseignement-apprentissage consiste donc à voir la personne comme un être à façonner et, jusqu'à un certain point, à la considérer comme étant privée de sens critique et d'habiletés intellectuelles. L'acquisition du comportement visé dépend grandement de l'efficacité des contingences ou de facteurs externes. Un renforcement positif de la réponse obtenue aura pour effet d'augmenter la probabilité d'obtenir le comportement visé et, à l'inverse, un renforcement négatif ou l'indifférence à la réponse obtenue aura pour effet de diminuer ou d'éliminer un comportement indésirable.

Appliquée à l'éducation à la santé, l'approche béhavioriste de l'enseignement-apprentissage par conditionnement opérant incitera un éducateur à diriger l'apprentissage d'une personne, par exemple, sur les moyens de prévention d'un problème de santé ou encore sur la prise en charge de l'autogestion de ses soins de santé, en exposant cette personne à une forme d'enseignement programmé et séquentiel découpé en petites unités d'apprentissage conformément aux objectifs particuliers d'apprentissage préétablis. Le comportement complexe à acquérir sera considéré comme étant la somme des comportements élémentaires qui le constituent. L'apprentissage est alors basé sur le renforcement positif de la réponse obtenue. On peut imaginer par exemple une activité d'apprentissage sur la saine alimentation à l'intention des adolescents. L'éducateur pourrait alors leur présenter un jeu interactif sur un support multimédia en visant l'apprentissage séquentiel et progressif des connaissances et des attitudes reliées à l'alimentation. L'activité d'apprentissage ainsi programmée serait conçue de façon à ce que les bonnes réponses soient positivement renforcées et valorisées alors que les mauvaises réponses seraient ignorées ou critiquées.

ENCADRÉ 9

Approche béhavioriste = faciliter l'apprentissage par un processus de conditionnement : stimulus-réponses renforcées.

B) Le cognitivisme

L'école de pensée cognitiviste découle des travaux de plusieurs théoriciens, dont ceux du psychologue, biologiste et épistémologiste suisse Jean Piaget, sur la psychologie du développement cognitif de l'enfant, ceux de Jerome Bruner, psychologue américain, qui en s'inspirant des travaux de Piaget a proposé une théorie constructiviste de l'apprentissage axée autour de l'idée d'un sujet actif qui construit de nouveaux concepts à partir des connaissances déjà en place (structure cognitive). Il y a aussi ceux des psychologues allemands Max Wertheimer, Wolfgang Köhler et Kurt Koffka, psychologue américain d'origine allemande, cofondateurs de la théorie du gestaltisme qui met en valeur la prééminence de la totalité sur les parties qui la composent, donc de la relation entre les phénomènes considérés comme des ensembles indissociables structurés. Cette notion de structure s'oppose à celle des unités morcelées qui caractérise l'apprentissage séquentiel proposé dans la perspective béhavioriste. Ainsi, dans la perspective gestaltiste, chaque personne a sa façon particulière et organisée de percevoir et d'interpréter une situation et d'y répondre. La perception de l'objet d'apprentissage est donc sélective et elle sera influencée par les expériences antérieures, les besoins perçus, les motifs personnels et les attitudes. Il importe de tenir compte de ces particularités de « l'ici et maintenant » dans l'offre des activités d'apprentissage.

De façon générale, les cognitivistes s'attardent à étudier les mécanismes internes qui sont responsables de l'apprentissage et de la connaissance. Ils comparent ni plus ni moins le cerveau de l'homme à un ordinateur compliqué, alors que les béhavioristes ont pour modèle la psychologie animale. Les cognitivistes se penchent sur les stratégies, les règles et les procédés suivis par l'esprit humain dans certaines situations, notamment lors de la résolution de problèmes ou de la rétention d'éléments d'information.

Les cognitivistes font souvent référence à la mémoire à court et à long terme ainsi qu'aux schémas mentaux, propres à chacun. Il en est ainsi car nos connaissances antérieures jouent un rôle fondamental dans l'apprentissage et cette mémoire contient de l'information sous forme de schémas de représentation. On ne retient jamais des connaissances de façon isolée, mais plutôt par « greffage » à des schémas déjà existants.

Le travail de l'éducateur, qui adhère à une conception cognitiviste de l'apprentissage, consiste à influencer les phases du processus d'apprentissage. Différents auteurs décrivent ce processus en un nombre variable de phases successives. Le *Dictionnaire actuel de l'éducation* de Legendre (2005) les résume à trois : la phase de motivation, la phase d'acquisition et la phase de performance.

1) **La phase de motivation** : la personne se fait une idée ou une image de ce qui doit être appris, elle se fait une représentation du contenu qui lui est enseigné. Elle porte attention à ce contenu, s'y intéresse et persiste dans la tâche d'apprentissage. Il s'agit donc pour l'éducateur d'attirer l'attention de l'apprenant, de piquer sa curiosité et de provoquer une attitude d'ouverture face à ce qui viendra[2].

2) **La phase d'acquisition** : la personne fait appel à ses acquis et procède au traitement de l'information nouvelle par l'encodage de l'information perçue par les sens. Elle se fait une représentation mentale du contenu d'apprentissage, elle se l'approprie et le mémorise de façon à ce que ce matériel fasse partie de son bagage de connaissances et de compétences. Il s'agit pour l'éducateur d'utiliser les méthodes et les outils éducatifs appropriés au domaine et au niveau d'apprentissage visés afin de faciliter cette phase du processus d'apprentissage.

---

2. Les façons de faire pour influencer la motivation sont présentées à la partie 2.2 de ce module.

3) **La phase de performance** : l'éducateur vérifie, par ce que la personne exprime ou démontre, le degré de compréhension ou de maîtrise de ce qui vient d'être appris. La performance ou l'action attendue est formulée dans un objectif spécifique d'apprentissage. À cette étape, l'éducateur peut utiliser la technique du *teach-back*[3] afin de vérifier si la personne a bien saisi ce qu'elle devait apprendre[4].

L'approche cognitiviste est parfois utilisée en synergie avec les principes d'autres théories de l'apprentissage. Ainsi certains théoriciens prônent l'utilisation d'une forme d'amalgame de l'approche béhavioriste et de l'approche cognitiviste. On pense notamment aux travaux d'Albert Bandura, psychologue canadien spécialisé dans la théorie sociale cognitive et l'auto-efficacité. Cette théorie met l'accent sur l'apprentissage qui survient dans un contexte social. Elle soutient que les gens apprennent les uns des autres par observation, imitation et modélisation. En s'inspirant de cette conception sociale cognitive de l'enseignement-apprentissage, l'éducateur peut alors proposer des activités éducatives permettant une interaction active entre les personnes concernées afin de faciliter l'apprentissage de comportements favorables à la santé.

Appliquée à l'éducation à la santé, l'approche cognitiviste de l'enseignement-apprentissage incite l'éducateur à faire appel aux forces internes de la motivation et à faciliter le processus de traitement de l'information (phases d'acquisition et de performance). Pour ce faire, il fera notamment appel aux perceptions et aux croyances, aux attitudes et aux acquis de la personne sur le sujet traité pour ensuite ajouter à ces acquis des connaissances et des habiletés nouvelles. Il utilisera des méthodes et des outils éducatifs facilitant le traitement des informations nouvelles et leur rappel pour la résolution de problèmes. Il structurera son enseignement en vue d'assurer un

---

3. Le terme *teach-back* n'aurait actuellement aucune traduction française officielle. Il s'agit d'une technique de communication interactive entre un éducateur et une personne permettant une rétroaction sur la compréhension du contenu de l'enseignement et de modifier l'enseignement au besoin.
4. Les façons de faire pour faciliter la phase d'acquisition et la phase de performance sont présentées à la partie 2.3 de ce module.

apprentissage graduel allant du plus simple vers l'atteinte d'objectifs plus complexes[5] selon la réceptivité de la personne, son besoin et sa capacité d'apprendre.

Plus concrètement par exemple, en s'inspirant de l'école de pensée cognitiviste pour faciliter l'apprentissage de moyens d'autogestion du contrôle de la glycémie, l'éducateur fera appel aux acquis de la personne (ses connaissances sur le diabète et les moyens de contrôle de la glycémie) pour ajouter des connaissances et des habiletés nouvelles facilitant l'autogestion des moyens de contrôle de la glycémie. Il utilisera des méthodes et des outils éducatifs facilitant l'acquisition, la représentation mentale et la mise en mémoire des connaissances nouvelles sur le diabète et le contrôle de la glycémie. Il facilitera le transfert de ces apprentissages pour résoudre des problèmes de contrôle de la glycémie dans des situations de vie variées.

Dans une perspective d'intégration des principes du béhaviorisme et du sociocognitivisme, l'éducateur sera également soucieux d'assurer une rétroaction positive sur l'apprentissage réalisé. Il fera également appel à l'environnement social de la personne (par exemple, un groupe de personnes diabétiques) en adoptant des stratégies éducatives d'observation, d'interaction et d'identification à des modèles de rôle en vue d'influencer la perception de l'efficacité personnelle à adopter le comportement de santé visé et de renforcer le comportement nouvellement acquis, le cas échéant. Ce faisant, l'éducateur fait également appel aux forces externes de la motivation à l'apprentissage des comportements de santé.

ENCADRÉ 10

> Approche cognitiviste = faciliter chacune des phases du processus d'apprentissage : la motivation, l'acquisition et la performance.

5. Se référer aux tableaux 2, 3 et 4 du module 1 pour les domaines et les niveaux d'apprentissage.

C) L'humanisme

Carl Rogers, psychologue américain, est la figure dominante de la psychologie humaniste. Cette conception « centrée sur la personne » met l'accent sur la nécessité de prendre en compte les besoins de la personne, ses habiletés, ses intérêts et son style d'apprentissage dans la planification des interventions éducatives. L'individu est considéré comme étant le centre de son monde continuellement en changement. Le comportement est une tentative de la personne de satisfaire ses besoins et de développer l'affirmation de soi. L'actualisation de soi devient ainsi plus importante que le contenu enseigné. Tel que l'affirme Raymond (2006), alors que dans la conception béhavioriste ce qui est visé est la transmission du savoir constitué, l'approche humaniste privilégie les « éléments apprenant-enseignant » au détriment des éléments savoir et situation.

Le rôle de l'éducateur dans la perspective humaniste est d'agir à titre de personne-ressource en créant un environnement favorable à l'apprentissage. Son approche n'est pas directive. Son but est de soutenir la mobilisation de l'individu vers une plus grande autonomie dans la satisfaction de ses besoins.

Appliquée au domaine de l'éducation à la santé, une approche humaniste offrira des activités d'apprentissage basées sur les besoins de la personne (besoins exprimés et besoins perçus) et ses caractéristiques personnelles (intérêts particuliers, style d'apprentissage, etc.). Le but des interventions sera d'emblée éducatif en visant l'accroissement de l'autonomie et de la liberté de la personne, pour favoriser l'actualisation de son potentiel de prise en charge de sa santé dans la mesure de ses capacités individuelles d'y parvenir.

Le fait d'adopter une approche humaniste n'exclut pas en soi l'adoption des principes de l'approche cognitiviste. L'éducateur peut en effet à la fois accroître la motivation et faciliter le processus de traitement de l'information et être centré sur la personne. Il accordera par ailleurs une importance particulière à la relation interpersonnelle dans la situation d'apprentissage et il percevra son rôle davantage comme celui d'un facilitateur et d'une ressource en reconnaissant l'unicité de la personne et ses besoins particuliers. La relation interpersonnelle de l'éducateur comporte certaines qualités (Carl Rogers, cité par Knowles, 1990) : être naturelle et authentique, être attentionnée sans être possessive, être compréhensive et ouverte, sensible et toujours à l'écoute.

Il est utile de référer ici aux principes de l'andragogie (éducation des adultes) établis par Malkolm Knowles (1990), qui fut spécialiste de l'éducation des adultes au Young Men's Christian Association (YMCA) de Boston et directeur administratif de la National Adult Education Association de Chicago. Ces principes prennent racine dans une conception humaniste de l'éducation. Ils ont le mérite de donner des pistes concrètes pour orienter le choix des méthodes éducatives. Les voici sommairement : les adultes ont besoin de participer à la planification et à l'évaluation des activités d'apprentissage. L'expérience de vie (incluant les erreurs) constitue la base des activités d'apprentissage. Les adultes sont davantage intéressés à apprendre sur des sujets reliés directement à leur vie personnelle et sont plus orientés vers la résolution de problèmes que sur le contenu d'apprentissage.

Encadré 11

Approche humaniste = processus d'enseignement-apprentissage centré sur la personne et visant le développement de l'autonomie. La qualité de la relation interpersonnelle entre l'éducateur et la personne en apprentissage est une condition essentielle à l'efficacité des interventions éducatives.

En résumé, dans le domaine de l'éducation à la santé, on s'inspire généralement de ces trois conceptions de l'enseignement-apprentissage pour orienter le choix des méthodes éducatives. Les approches cognitives et humanistes sont toutefois prédominantes. Elles reflètent davantage les valeurs sociales actuelles dans les systèmes de santé nord-américain et européen où l'on considère l'individu non plus comme un être à façonner, mais plutôt comme une personne capable de ressentir, de réfléchir et de décider des meilleurs moyens à prendre pour se maintenir en santé ou améliorer sa condition de santé. Dans cette optique, la relation entre la personne en apprentissage et l'éducateur sera une forme de partenariat et de réciprocité dans le partage des expertises en matière de santé.

Le tableau 5 ci-dessous présente une synthèse et une comparaison des trois écoles de pensée à la base des théories de l'apprentissage (inspiré du tableau de Braungart et Braungart, dans Bastable, 2008, chap. 3, p. 79).

TABLEAU 5

Comparaison des trois approches théoriques de l'éducation à la santé : béhaviorisme, cognitivisme, humanisme

Modes d'apprentissage	Conception de l'apprenant	Rôle de l'éducateur
	Béhaviorisme	
Stimulus de l'environnement Renforcement de la réponse Pour modifier un comportement, changer l'environnement	Apprenant passif Répond à des conditions sous forme de stimulus et de renforcements	Manipuler des stimulus et offrir des renforcements
	Cognitivisme	
Perception et traitement de l'information Pour changer le comportement, il faut modifier la cognition	La participation active de l'apprenant dans les activités d'apprentissage est déterminante	Structurer les activités d'apprentissage pour faciliter la cognition ou le traitement de l'information
	Humanisme	
L'estime de soi, la capacité de faire des choix éclairés et les besoins perçus influencent l'apprentissage et le changement de comportement Pour changer un comportement, il faut influencer les sentiments, le concept de soi et les besoins perçus	Un apprenant actif qui vise l'actualisation de son potentiel pour se développer pleinement et confirmer le concept de soi	Faciliter l'apprentissage, encourager le développement de la personne, faire preuve d'empathie et d'écoute active

2.2 INFLUENCER LES FORCES INTERNES ET LES FORCES EXTERNES DE LA MOTIVATION À L'APPRENTISSAGE DES COMPORTEMENTS FAVORABLES À LA SANTÉ

Rappelons les trois phases du processus d'apprentissage : la motivation, l'acquisition et la performance. La motivation constitue la première étape du processus d'apprentissage d'un comportement favorable à la santé. Il est pertinent de souligner ici, à l'instar de Green et Kreuter (1999), qu'« on ne peut motiver une personne mais bien plutôt uniquement faire appel aux facteurs qui motivent cette personne » (p. 30, traduction libre).

Pour bien saisir ce qu'est la motivation, commençons par préciser ce qu'elle n'est pas. La motivation n'est pas une entité matérielle directement observable, elle est inférée à partir des actions de l'individu : celui-ci agit ou non. De même, la motivation n'est pas un phénomène dichotomique : être ou ne pas être motivé. Il s'agit plutôt d'un processus dynamique où l'individu passe d'un état d'absence de motivation (*amotivation*) à un niveau de disposition et de motivation plus élevé.

Il est difficile de définir le concept de motivation avec précision. Quelle est cette entité qui influence le comportement humain ? D'où vient cette énergie qui détermine nos actions ou nos comportements ? Quelles en sont les caractéristiques ? Vallerand et Thill (1993) proposent la définition suivante : « construit hypothétique utilisé afin de décrire les forces internes ou externes produisant le déclenchement, la direction, l'intensité et la persistance du comportement » (p. 18). Les forces internes poussent une personne à agir alors que les forces externes suscitent l'action. La disposition des individus à s'engager dans un processus d'apprentissage et à fournir les efforts requis est conçue comme la résultante de ces forces.

Les mêmes auteurs affirment que « la plupart des théories de la motivation se situent entre ces deux pôles puisqu'elles font généralement état de mécanismes d'interaction entre ces deux types de forces motivationnelles » (p. 24).

Il importe également de souligner l'importance de ne pas « jurer » que par un « référent » afin de ne pas être réducteur. La réalité humaine est évidemment plus complexe que le prétendent les théories et les divers modèles auxquels nous faisons référence dans ce manuel. Comme l'affirment si justement Jourdan, Ferrand et Berger (2008) dans leur réflexion épistémologique sur les modèles et théories :

> [...] tout se passe comme si les théories ou les modèles étaient aux pratiques d'éducation pour la santé ce qu'une carte de géographie est au paysage. Ils ont d'abord pour but de décrire la réalité, d'en mettre en évidence les principaux éléments afin d'en permettre une appréhension cohérente. Mais les théories et les modèles ont aussi pour finalité de permettre d'expliquer, de prédire des évolutions. Ils ne sont pas « la réalité » elle-même mais ils permettent de la comprendre et d'agir sur elle (p. 1).

Tentons, dans un premier temps de mieux comprendre la nature de ces forces internes et externes de la motivation. Nous préciserons par la suite les façons de faire pour les influencer.

2.2.1 Définition des forces internes et des forces externes de la motivation

a) Les forces internes de la motivation

Antérieures au comportement, les forces internes de la motivation correspondent, dans le modèle PRECEDE-PROCEED, aux facteurs prédisposant à l'adoption d'un comportement de santé. Ces forces sont intrinsèques à la personne. Elles la poussent à agir. Elles déterminent plus particulièrement l'intention d'agir.

Nous vous présentons ci-après des exemples de quelques théories et modèles qui permettent de mieux comprendre les forces internes déterminantes de l'adoption d'un comportement de santé. Nous vous invitons à consulter plus particulièrement le volume de Glanz, Rimer et Viswanath (2008), de Conner et Norman (2005) et celui de Godin (2012) pour approfondir vos connaissances sur le sujet et pour découvrir d'autres construits théoriques pertinents au domaine de l'éducation à la santé. Certaines théories et certains modèles sont catégorisés comme étant des théories de prédiction d'un comportement alors que d'autres sont des théories du changement de comportement.

Les forces internes de la motivation regroupent généralement les éléments suivants : le besoin perçu, la connaissance, la perception et la cognition, les croyances, l'attitude et les valeurs. Certains de ces éléments sont définis plus précisément dans des modèles et des théories complémentaires au modèle PRECEDE-PROCEED.

Quelle est donc la signification attribuée à chacune de ces forces internes de la motivation ? De quels modèles et de quelles théories proviennent-elles ?

Le besoin perçu est une des forces internes qui poussent une personne à agir. Maslow propose une échelle de classification des besoins fondamentaux humains en cinq catégories hiérarchisées (Legendre, 2005). L'individu cherche à satisfaire les besoins d'une catégorie supérieure lorsque les besoins de la catégorie précédente ont été comblés. Cette taxonomie des besoins humains est la suivante : 1) Besoins physiologiques et besoins de survie ; 2) Besoins de sécurité ; 3) Besoins sociaux et d'appartenance ; 4) Besoins d'estime ; 5) Besoins d'actualisation de soi. Dans cette optique, il est logique de penser par exemple qu'une personne qui reçoit un diagnostic de maladie éprouvera un plus grand intérêt à connaître et à mieux comprendre la maladie, les traitements et les soins proposés afin de trouver réponse à ses besoins physiologiques, de survie et de sécurité, que de souhaiter faire l'apprentissage de moyens utiles pour vivre plus harmonieusement avec ses proches en raison de cette maladie (besoin social et d'appartenance).

Un besoin se manifeste généralement par des émotions diverses. L'émotion est donc une composante affective de la motivation. Les mots émotion et motivation ont d'ailleurs la même origine étymologique : du latin *movere* qui signifie se déplacer ou *motivus*, mobile, qui met en mouvement. L'émotion est un état affectif plus ou moins intense comportant des sensations d'appétit (qui poussent à satisfaire un besoin) ou aversives (qui suscitent la répulsion). Il s'agit d'une réaction à une stimulation qui résulte d'un processus à la fois physiologique et psychologique. L'anxiété est un exemple d'émotion. Elle se définit comme étant un sentiment d'inquiétude, d'insécurité. À un degré modéré, elle est susceptible de pousser une personne à agir. Elle peut stimuler la conscience et inciter aux actions appropriées nécessaires à son contrôle et ainsi permettre à la personne de s'adapter au stress vécu. Par ailleurs, si l'émotion est trop intense, elle peut au contraire inhiber ou paralyser l'action et inciter à adopter des mécanismes de défense (évitement, négation, régression, etc.) permettant à l'individu de réduire l'intensité de son anxiété.

L'éducateur peut se référer ici à la théorie de l'adaptation au stress développée par Lazarus et Folkman (1984) pour mieux comprendre le processus d'adaptation au stress. Pour simplifier, on peut dégager le principe suivant : une personne qui perçoit un stresseur (par exemple, un symptôme, un examen diagnostique, un traitement, un soin) comme étant une menace à son intégrité physique ou psychique éprouvera de l'anxiété. Cette anxiété traduit un besoin de sécurité. Si cette personne adopte une stratégie d'adaptation de type résolution de problèmes, elle tentera spontanément de soulager cette anxiété, donc de satisfaire son besoin de sécurité, en recherchant l'information et les ressources utiles pour contrer ou modifier cette perception de menace. Le besoin de sécurité est ici une force interne de motivation qui pousse à l'action. Si la même personne adopte une stratégie d'adaptation d'orientation émotionnelle, elle aura plutôt tendance à satisfaire son besoin de sécurité en adoptant divers mécanismes de défense, par exemple le déni, la rationalisation, la colère, la sublimation. Ces deux modalités d'adaptation (ou de *coping*) ne sont toutefois pas mutuellement exclusives. Elles peuvent en effet coexister temporellement ou alternativement selon l'intensité de l'émotion et des circonstances.

La connaissance, la perception et la cognition sont également des forces internes de la motivation. On fait référence ici surtout au fait « d'être conscient de..., de savoir que... », termes correspondant au terme anglais *awareness* utilisé par Green et Kreuter dans le modèle PRECEDE-PROCEED. Il ne s'agit donc pas nécessairement de l'érudition ou d'une connaissance approfondie sur un sujet donné, mais plutôt de la perception ou de la prise de conscience d'un fait. En d'autres termes, le fait pour une personne d'être consciente ou de savoir qu'une habitude de vie, par exemple le tabagisme, puisse avoir des conséquences sur la santé peut être un facteur motivant cette personne à faire l'apprentissage de moyens pour cesser de fumer. La connaissance est toutefois généralement insuffisante pour déclencher l'action. N'est-il pas en effet fréquent de constater que la connaissance des facteurs de risques reliés à un problème de santé, tels le diabète ou les maladies cardiovasculaires, ne se traduit pas nécessairement par un changement de comportement ? Si tel était le cas, tous les gens seraient actifs physiquement et il n'y aurait plus de surplus de poids et ni aucun fumeur au sein de nos sociétés.

La croyance est la conviction qu'un phénomène ou un objet est vrai ou réel. Elle établit un lien entre la socialisation et le comportement. Les croyances sont des caractéristiques individuelles durables qui déterminent les comportements et qui peuvent être acquises au début du processus de socialisation. Une croyance est cependant modifiable et elle peut être différente chez des individus qui ont les mêmes antécédents. Certains types de croyances seraient reliés davantage à l'adoption des comportements de santé, comme le démontrent plusieurs recherches réalisées depuis plus de quatre décennies dans le domaine de la promotion de la santé (Conner et Norman, 2005).

Les croyances déterminantes de l'adoption des comportements de santé auxquelles on fait le plus souvent référence dans les publications scientifiques du domaine de l'éducation à la santé proviennent des théories et des modèles conceptuels suivants (Conner et Norman, 2005) : le modèle des croyances relatives à la santé / Health Belief Model (HBM) (Rosenstok et Becker), la théorie sociale cognitive

(TSC) (Bandura), la théorie du comportement planifié (TCP) (Ajzen), la théorie de l'adaptation au stress (AS) (Lazarus et Folkman)[6].

Voici une liste sommaire des croyances issues de ces théories et des modèles conceptuels :

Une personne sera plus encline à adopter un comportement de santé si elle croit…

- Que le problème de santé est une menace à son intégrité physique ou mentale (AS) ;
- Que la réaction émotionnelle d'adopter le comportement sera plus positive que négative (AS) ;
- À sa vulnérabilité personnelle d'avoir ce problème de santé (HBM) ;
- À la sévérité des conséquences du problème de santé sur sa qualité de vie et sa survie (HBM) ;
- À une prépondérance des avantages (bénéfices) par rapport aux inconvénients (coûts) à adopter le comportement de santé (HBM) ;
- À son efficacité personnelle et à sa capacité d'adopter le comportement de santé (HBM et TSC) ;
- À l'efficacité du comportement pour apporter les résultats attendus (TSC) ;
- Que la pression sociale (norme sociale) est plus en faveur de l'adoption du comportement de santé que de la non-adoption de ce comportement (TCP) ;
- En la possibilité d'avoir un contrôle sur la levée des barrières à l'adoption du comportement de santé (TCP).

---

6. Une explication exhaustive de chaque théorie et modèle et leur application dans le domaine de l'éducation à la santé dépasse les visées de ce manuel synthèse. Nous vous invitons donc à consulter plus particulièrement le volume de Conner et Norman (2005), intitulé *Predicting Health Behaviour*, afin d'approfondir vos connaissances sur le sujet. Voir les détails dans la liste des références à la fin du manuel.

L'attitude est aussi une force interne de la motivation. L'attitude est déterminante de l'intention d'agir. Elle est définie comme étant un état d'esprit, une disposition intérieure de la personne à l'égard d'un objet, d'une idée, d'une situation, d'une action, voire d'une personne. Elle s'exerce sous l'impulsion de certains sentiments et elle est généralement acquise et non fortuite (Legendre, 2005). Ces sentiments portent la personne à s'approcher (à être favorable à…) ou à s'éloigner (être défavorable à…) de l'objet, de la situation, de l'action. L'attitude peut être mesurée à l'aide de diverses échelles de mesure. Une échelle d'attitude permet d'inférer et de mesurer l'intensité de la disposition à agir. On peut alors questionner une personne pour mesurer, à l'aide d'une échelle ordinale (être plus ou moins favorable à…), son degré d'attitude ou de disposition intérieure à agir.

On peut également évaluer une disposition à agir à partir du degré réel ou envisagé d'engagement de la personne dans l'action. Ainsi, une personne peut n'être aucunement disposée à agir ou à adopter un comportement ou, au contraire, être pleinement engagée dans l'action.

Dans cette perspective, le modèle transthéorique de Prochaska, Norcross et DiClemente (1994) peut s'avérer particulièrement utile pour situer la personne dans sa disposition à agir. Selon ce modèle, une personne peut être plus ou moins disposée à adopter ou à changer un comportement. Elle se situe donc à l'un ou l'autre des cinq stades de changement. Ces stades de changement de comportement sont en quelque sorte une séquence hiérarchique temporelle de la disposition à agir. Le schéma ci-dessous illustre cette séquence des cinq stades de changement de comportement.

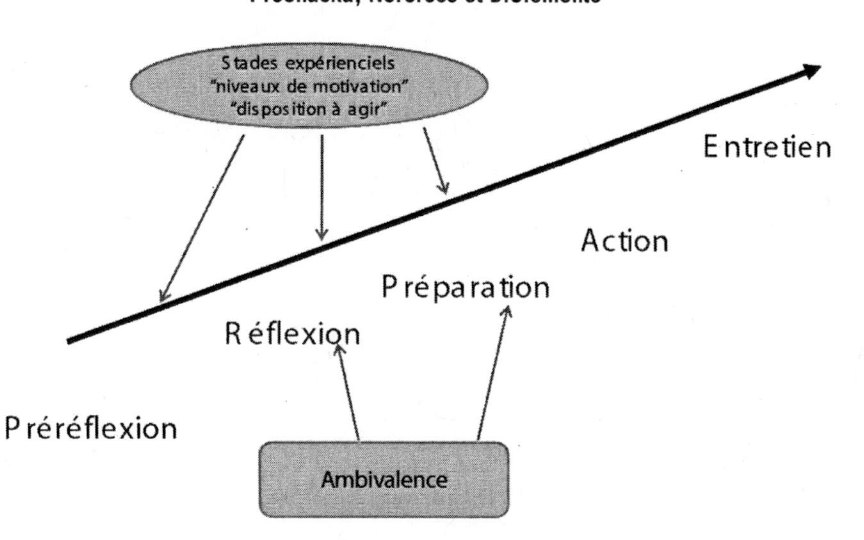

Voici une brève définition de chacun des cinq stades de changement de comportement :

Stade 1. La *préréflexion* : la personne est au stade de déni soit du problème à résoudre, soit d'une responsabilité personnelle à l'égard de ce problème (ex. : le tabagisme, la toxicomanie, la boulimie, la sédentarité, la non-observance des recommandations médicales, etc.). Il n'y a aucune intention de changer de comportement ou d'adopter un nouveau comportement dans un avenir de plus ou moins six mois. Il peut y avoir de la résistance, un manque d'information ou un sentiment d'être submergé par le problème de santé ou par le défi à relever pour y faire face.

Stade 2. *La réflexion* : à ce stade, la personne est consciente que le problème existe et qu'il faut agir pour le résoudre. La réaction à cette prise de conscience est toutefois plutôt passive et ambivalente. Elle pense malgré tout sérieusement à passer à l'action dans les six prochains mois sans pour autant avoir pris d'initiative dans cette direction.

Stade 3. *La préparation* : la personne a l'intention de changer de comportement à court terme (dans plus ou moins un mois) et elle a fait quelques tentatives pour y parvenir au cours des derniers mois.

Stade 4. *L'action* : la personne fait de constants efforts ou des gestes de modification de son comportement depuis trois à six mois.

Stade 5. *Le maintien* : la personne a adopté le nouveau comportement depuis au moins six mois, mais elle a besoin d'une grande vigilance pour ne pas faire de rechute.

Pour évoluer d'un stade à l'autre, le modèle propose divers processus. Les processus de changement qui caractérisent les trois premiers stades sont dits « expérientiels ». Ils correspondent en réalité à la période active de la prise de décision. Les stades de réflexion et de préparation se caractérisent plus particulièrement par une ambivalence à passer à l'action. Dans ces deux stades, la prise de conscience et la perception d'une prédominance des avantages, par comparaison avec les inconvénients, à adopter le comportement attendu deviennent des sources importantes de motivation pour passer à l'action.

Le succès des interventions éducatives pour faire progresser la personne vers l'action ou l'adoption d'un comportement sera alors en principe accru dans la mesure où celles-ci seront adaptées au stade de changement de comportement auquel se situe la personne et où elles feront appel aux processus cognitifs et affectifs correspondants. La nature de ces interventions éducatives pertinentes pour chacun des trois premiers stades de changement de comportement sera explicitée dans la partie 2.2.2.3 traitant des modalités d'intervention visant à influencer les attitudes.

À titre d'exemple, une personne qui a un problème de toxicomanie peut se situer à l'un ou l'autre des stades de changement de comportement. Elle est susceptible de nier d'abord son problème de toxicomanie et d'être résistante à l'idée de devoir modifier ses habitudes de consommation. Elle n'a en conséquence aucune intention de modifier ses habitudes au cours des six mois suivants (stade de préréflexion). Sa disposition pourrait par la suite évoluer vers la reconnaissance de son problème de toxicomanie et le fait d'envisager de changer de comportement à moyen terme dans les six mois suivants (stade de réflexion). Elle éprouve par ailleurs une forte ambivalence à passer à l'action, n'étant pas convaincue qu'elle aurait plus d'avantages que d'inconvénients à le faire. Au stade de préparation, elle envisage un changement à court terme (plus ou moins un mois) et aura pris quelques initiatives pour modifier graduellement sa consommation. Au stade de l'action, elle fera des efforts constants pendant au moins trois à six mois pour cesser de consommer. Au stade de maintien, elle aura cessé de consommer depuis au moins six mois, mais elle devra demeurer vigilante pour éviter les rechutes. Pour influencer la disposition (motivation) de la personne à l'égard du comportement à adopter (diminution de la consommation ou abstinence de drogues), l'éducateur devra donc soutenir les processus de changement propres à l'un ou l'autre des trois premiers stades de changement de comportement selon la situation.

Ce modèle transthéorique est souvent utilisé par les praticiens et les chercheurs pour guider le choix des interventions éducatives et évaluer l'efficacité de programmes éducatifs concernant des comportements de santé difficiles à changer, tels la toxicomanie, l'alimentation, le tabagisme, les pratiques sexuelles (Glanz, Rimer et Viswanath, 2008 ; Conner et Norman, 2005 ; Richards et Digger, 2008).

Les valeurs font aussi partie des forces internes de la motivation qui poussent un individu à agir. Elles se développent graduellement au fil des années. Elles se traduisent par une certitude fondamentale, consciente et durable, qu'une manière d'être ou d'agir, qu'un idéal ou qu'une fin constitue un objet hautement désirable pour la personne. C'est dire que tous les comportements humains s'enracinent dans des valeurs qui correspondent à ce qu'il importe à cette personne d'accomplir. La plupart des gens accordent une certaine valeur à la santé. Par exemple, pour plusieurs personnes, l'autonomie personnelle dans le maintien de la santé est une valeur personnelle très ancrée. Parce qu'elle y accorde une grande importance, cette valeur sera déterminante de l'engagement d'une personne dans la prise en charge de sa santé. La modification des valeurs ou d'un système de valeurs est un processus à long terme. Il est de notre avis irréaliste de considérer un tel but dans l'exercice de l'éducation à la santé par les professionnels de la santé. On parlera davantage de la prise en compte des valeurs et du respect des valeurs personnelles et culturelles de la personne lors des interventions éducatives.

Bien que les concepts de connaissance et de conscience, de croyance, d'attitude et de valeur aient leur signification propre, ils sont en quelque sorte interreliés sous une certaine forme de processus séquentiel. Ainsi, une personne doit en effet d'abord être consciente et connaître un fait, un phénomène avant de conférer à ce fait un statut de réalité et de véracité, soit la croyance en ce fait ou en ce phénomène. De la même façon, une attitude ajoute une dimension affective à la croyance en lui donnant un aspect évaluatif, soit celui d'être plus ou moins disposé ou favorable à l'égard de ce fait ou phénomène. Pour leur part, les valeurs prennent racine dans la culture des gens et elles sont constituées d'un ensemble de croyances ou de convictions durables chez la personne à l'égard d'un objet ou d'un phénomène jugé bon ou préférable. Elles donnent un sens aux apprentissages.

Pour illustrer ce processus, prenons l'exemple de la situation d'une personne diabétique. Elle devra **d'abord savoir et être consciente** qu'il y a un lien entre le taux de glycémie, l'alimentation, l'exercice physique et le diabète **avant de croire** qu'il est important de contrôler la glycémie pour éviter les conséquences sérieuses du diabète sur sa santé. **Si elle croit** que le contrôle optimal de la glycémie aura un effet direct sur l'évolution de la maladie (éviter les complications) il est probable qu'elle développe **une disposition ou une attitude** favorable à l'idée d'exercer un contrôle sur sa glycémie. Si cette disposition intérieure ou cette attitude persiste à l'égard du contrôle optimal de la glycémie sur une base quotidienne, celle-ci pourra éventuellement devenir un **idéal à atteindre, une valeur ancrée, une autogestion optimale du diabète, un état de santé optimal avec le diabète**.

Cette idée de processus séquentiel ou d'interrelation entre les forces internes de la motivation rappelle à l'éducateur l'importance d'intervenir sur ces facteurs en tenant compte de cette logique.

b) Les forces externes de la motivation

Les forces externes concernent des facteurs qui se trouvent dans l'environnement de l'individu. Elles suscitent l'action. À titre d'exemples, l'environnement physique et humain plus ou moins adéquat dans lequel se déroulent les activités d'apprentissage, l'accès à divers services ou à des ressources, l'influence des personnes significatives ou d'événements déclencheurs (ex. : la maladie d'un proche ou sa guérison ou ses succès) sont autant de forces externes susceptibles de susciter l'adoption d'un comportement de santé.

D'autres facteurs externes viennent plutôt renforcer les apprentissages ou contribuer au maintien d'un comportement ou à son élimination, s'il y a lieu. Ainsi, l'appui de personnes significatives dans ses efforts de changement, la valorisation par l'entourage des progrès accomplis ou encore les rétroactions des professionnels de la santé agissent dans ce sens.

Les personnes considérées comme autonomes ou ayant un foyer ou un « locus[7] » de contrôle interne sont en général davantage influencées par des forces internes alors que les personnes plus dépendantes, ou ayant un foyer de contrôle externe, sont influençées davantage par des forces externes (rétroactions, récompenses et soutien accru des professionnels de la santé et des proches).

Tant les forces internes que les forces externes interviennent, à des degrés divers, dans l'apprentissage et l'adoption d'un comportement de santé ou la modification d'un comportement à risque pour la santé. Comment l'éducateur peut-il alors agir sur chacune de ces forces pour influencer la motivation ?

---

7. Le locus de contrôle (ou foyer de contrôle) est un concept de psychologie proposé par Julian Rotter (1954). Les personnes croyant que leur performance ou leur sort dépend surtout d'elles-mêmes ont un locus de contrôle dit « interne » ; celles qui sont persuadées du contraire (c'est-à-dire que l'issue est avant tout déterminée par des facteurs extérieurs, hors de leur influence) ont un locus de contrôle dit « externe ».

ENCADRÉ 12

Motivation = forces internes et externes qui poussent une personne à agir.

Forces internes = besoins perçus, connaissances acquises, croyances, attitudes, émotions, valeurs.

Forces externes = environnement physique, humain et social.

Il importe ici de souligner les réserves et les nuances évoquées dans plusieurs recherches quant à la valeur prédictive des facteurs internes et externes de la motivation pour l'adoption des comportements de santé (Conner et Norman, 2005). Nous invitons donc fortement les lecteurs à demeurer vigilants et critiques à l'égard des théories et des modèles proposés et à relativiser les résultats attendus des interventions éducatives en prenant en compte le contexte de ces interventions et les autres facteurs potentiellement influents. Il est ainsi essentiel de consulter fréquemment les publications scientifiques plus spécialisées sur le sujet afin de s'assurer d'une mise à jour sur les résultats probants permettant de juger du mérite et de la validité des théories et des modèles à utiliser pour guider le choix des interventions éducatives visant à influencer la motivation à l'adoption des comportements de santé.

2.2.2 Influencer les forces internes de la motivation

Dans la partie qui suit, nous présentons diverses stratégies pédagogiques[8] et éducatives susceptibles d'influencer chacun des facteurs motivationnels suivants : le besoin perçu, la connaissance et la cognition, les croyances, l'attitude et les valeurs

8. Stratégie pédagogique : « ensemble de méthodes et de techniques pour apprendre, pour penser, pour résoudre un problème » (Legendre, 2005).

2.2.2.1 Satisfaire les besoins perçus

Comment faciliter la satisfaction des besoins perçus afin que la personne soit davantage prédisposée et motivée à faire les apprentissages nécessaires pour l'adoption du comportement de santé visé par les interventions éducatives ?

L'individu cherche sans cesse à satisfaire ses besoins fondamentaux. Les besoins physiologiques, ou besoins de survie, ainsi que le besoin de sécurité sont souvent ceux qui sont les plus ressentis face aux divers facteurs de stress reliés à la situation de santé d'une personne. Ces besoins se manifestent généralement sous forme d'appréhension, de peur et d'anxiété. Pour soulager ou atténuer ces émotions de façon à prédisposer la personne à faire les apprentissages requis pour l'adoption du comportement de santé visé, il importe d'accorder une priorité aux facteurs perçus comme étant une menace à son intégrité physique ou mentale. **Il faut considérer le fait que la personne anxieuse ne sera généralement disposée à apprendre que ce qu'elle perçoit comme étant une réponse à son besoin de survie et de sécurité**. Dans cet ordre d'idées, il est essentiel que l'éducateur fournisse en priorité les informations reliées aux aspects perçus comme étant source d'anxiété ou d'appréhension pour la personne. Le but est ici de réduire cette anxiété ou cette appréhension pour faciliter l'apprentissage des connaissances et des attitudes requises à l'adoption du comportement de santé visé.

Pour repérer et satisfaire ces besoins, il sera essentiel d'établir une relation interpersonnelle aidante et de confiance en faisant preuve d'écoute active et d'empathie. Il sera aussi important de s'abstenir de porter un jugement de valeur sur le vécu de la personne. Il s'agit de créer un lien de réciprocité-égalité et de partenariat par un partage des responsabilités afin de permettre à la personne de mieux maîtriser la situation en mobilisant ses forces et ses ressources et de participer ainsi activement à la satisfaction de ses besoins. Il faut se rappeler que l'éducation à la santé ne se fait pas de manière coercitive et qu'elle est d'abord et avant tout une stratégie de promotion de la liberté individuelle et de l'autonomie pour éviter toute forme d'aliénation face à la maladie, aux professionnels de la santé et au système de santé.

2.2.2.2 Susciter les prises de conscience

Comment faciliter les prises de conscience et l'acquisition des connaissances susceptibles de prédisposer la personne à adopter le comportement de santé visé par les interventions éducatives ?

Rappelons que la connaissance fait surtout référence ici au fait « d'être conscient de... de savoir que... », des termes qui correspondant au terme anglais *awareness* utilisé par Green et Kreuter dans le modèle PRECEDE-PROCEED. Il ne s'agit donc pas nécessairement de l'érudition ou d'une connaissance approfondie sur un sujet donné, mais plutôt de la perception ou de la prise de conscience d'un fait.

Les connaissances acquises dans la perspective des facteurs prédisposant à l'adoption d'un comportement de santé font référence surtout aux deux premiers niveaux d'apprentissage cognitifs : savoir et comprendre. Il s'agit ici d'utiliser diverses méthodes éducatives ou d'enseignement[9] facilitant le traitement de l'information, tels la lecture dirigée de documents écrits et de textes vulgarisés et crédibles accessibles sur Internet, l'exposé informel, le groupe de discussion.

---

9. Les méthodes éducatives ou d'enseignement facilitant le traitement de l'information sont décrites dans la partie 2.3.1.2 du manuel.

2.2.2.3 Influencer les croyances déterminantes de l'adoption du comportement de santé visé

Il importe de questionner la personne afin de détecter les croyances à faire acquérir en vue d'augmenter sa prédisposition à passer à l'action[10]. Si certaines croyances déterminantes pour l'adoption d'un comportement de santé sont absentes ou erronées, il devient alors utile de fournir à la personne, à l'aide de lectures pertinentes et d'exposés informels, les informations et les connaissances nécessaires pour les faire acquérir ou les rectifier.

L'information représente le premier stade de l'éducation : être informée permet à la personne à laquelle est destinée l'information de prendre conscience et d'avoir une connaissance du problème. Dans le domaine de l'éducation, on distingue l'information et la connaissance au sens où la connaissance, si elle peut à la limite être définie comme une forme d'information organisée à des fins cognitives, donne lieu à un traitement particulier, voire didactique, pour être transmise. La connaissance d'un problème modifie la relation que l'individu entretient avec le problème (réduction ou renforcement des croyances, déconstruction des idées fausses ou ébranlement des préjugés, rationalisation des conduites). Le tableau 6 ci-dessous présente une synthèse des principales croyances comprises dans les théories et les modèles mentionnés antérieurement et jugées pertinentes pour l'éducation à la santé. Il montre également des exemples de connaissances et d'informations à transmettre afin de les influencer ou de les développer.

---

10. Voir le tableau 1 de la partie 1.4 du module 1 du manuel pour des exemples de questions à poser pour faire ressortir les croyances déterminantes.

Tableau 6

Croyances déterminantes de l'adoption d'un comportement de santé et exemples de connaissances ou d'informations à transmettre pour les développer

Croyances	Connaissances ou informations à transmettre
Croyance en sa vulnérabilité personnelle d'avoir le problème de santé (HBM)	– Prévalence du problème de santé dans la population – Caractéristiques des clientèles à risque – Facteurs de risque à la maladie
Croyance à la gravité des conséquences du problème de santé (HBM et TCP)	– Complications possibles du problème de santé – Répercussions potentielles du problème de santé sur la qualité de vie
Croyance en l'efficacité du comportement de santé pour donner les résultats attendus (HBM et TSC)	– Résultats probants (résultats de recherche) sur le lien entre les habitudes de vie et l'état de santé souhaité – Observation (journal de bord) de l'évolution des signes et des symptômes reliés aux habitudes de vie ou à l'autosoin
Croyance que les avantages d'adopter le comportement sont plus importants que les barrières perçues (HBM)	– Bénéfices des habitudes de vie saines ou de l'autosoin sur la santé (résultats probants) – Ressources disponibles pour lever les barrières et faciliter l'adoption du comportement visé
Croyance en l'efficacité personnelle (capacité personnelle d'adopter le comportement) (TSC)	– Informations provenant de l'observation (journal de bord) de l'évolution des signes et des symptômes reliés aux habitudes de vie ou à l'autosoin – Informations provenant de l'observation des réussites des personnes vivant une situation comparable (témoignages) – Informations provenant de l'observation des réussites personnelles à modifier ses habitudes de vie ou ses comportements de santé
Croyance que l'adoption du comportement aura des conséquences positives ou négatives (TCP)	– Résultats probants sur le lien entre les habitudes de vie et la santé optimale, sur les bénéfices des habitudes de vie saines ou de l'autosoin sur la santé – Observation (journal de bord) de l'évolution des signes et des symptômes reliés aux habitudes de vie ou à l'autosoin
Croyance dans l'opinion positive ou négative des personnes influentes à l'égard du comportement visé (TCP)	– Information sur les points de vue positifs des professionnels de la santé ou des proches quant aux avantages d'adopter le comportement visé pour l'amélioration ou le maintien de la santé
Croyance que des conditions facilitant l'adoption du comportement sont disponibles, accessibles (TCP)	– Informations sur les ressources disponibles pour lever les barrières et faciliter l'adoption du comportement visé

2.2.2.4 Influencer les attitudes par l'entretien motivationnel

Pour influencer l'attitude ou la disposition intérieure d'une personne à adopter un comportement de santé, l'éducateur pourra se référer au modèle transthéorique de Prochaska, Norcross et DiClemente pour choisir ses interventions éducatives. Il a été établi, selon ce modèle, que la personne peut se situer à l'un ou l'autre des cinq stades vers un changement de comportement ou l'adoption d'un nouveau comportement de santé (voir le schéma des stades de changement de comportement à la partie 2.2.1 de ce module). Les trois premiers stades reflètent d'une certaine manière la disposition de la personne pour l'adoption du comportement visé. Ces stades sont la préréflexion, la réflexion et la préparation. L'éducateur devra d'abord évaluer à quel stade la personne se situe. Pour ce faire, il peut utiliser un bref questionnaire contenant une échelle de mesure nominale qui lui permettra de faire cette évaluation. La personne concernée est alors invitée à se situer verbalement ou par écrit en fonction de l'un ou l'autre des énoncés ci-dessous pour le comportement visé.

Nous utiliserons l'exemple de l'activité physique pour illustrer notre propos :

> Énoncé 1 (*stade de préréflexion*). Je n'envisage pas de changer mes habitudes d'activité physique dans les six prochains mois (la personne est alors au stade de préréflexion).
>
> Énoncé 2 (*stade de réflexion*). Je suis conscient que ma sédentarité peut avoir des conséquences négatives sur ma situation de santé et j'envisage de changer éventuellement mes habitudes au cours des six prochains mois.
>
> Énoncé 3 (*stade de préparation*). J'envisage de modifier mes habitudes d'activité physique dans le prochain mois et je fais actuellement des efforts concrets en marchant davantage au cours de la semaine pour y parvenir.

Comme il a été précisé précédemment, l'évolution d'un stade de changement vers un autre stade se fait par l'actualisation de divers processus cognitifs et affectifs chez la personne. Ces processus constituent de bons repères pour guider l'éducateur dans le choix des interventions éducatives appropriées. Il lui faut faire les bonnes actions au bon moment pour être efficace !

Le tableau 7 ci-dessous présente une version simplifiée des processus cognitifs et affectifs caractérisant les trois premiers stades de changement de comportement (Glanz, Rimer et Viswanath, 2008 ; Bartholomew et collab., 2001 ; Rollnick, Mason et Butler, 1999). Un exemple appliqué à une personne diabétique (diabète de type 2) est offert pour illustrer l'application de ces processus.

Le rôle de l'éducateur consiste donc essentiellement à favoriser la progression vers une attitude plus favorable, un engagement plus marqué à adopter le comportement visé.

Ainsi, lorsque la personne se situe au stade de la « préréflexion », les interventions éducatives auront pour but de susciter chez elle une prise de conscience sur les causes et les risques associés à ses comportements de santé et l'effet probable (positif ou négatif) d'un changement de comportement. L'éducateur devra accorder une importance accrue aux aspects émotifs reliés à la perspective d'un changement de comportement.

Si la personne se situe plutôt au stade de la « réflexion », elle éprouve une certaine ambivalence à modifier ses habitudes ou à adopter le comportement visé. Les interventions auront alors pour but de mieux comprendre cette ambivalence et de la réduire ou de l'éliminer en aidant la personne à lever les barrières perçues au changement de comportement.

Enfin, au stade de la « préparation », les interventions éducatives ont surtout pour but de soutenir la personne dans le développement de la croyance en sa capacité personnelle en établissant, conjointement avec elle, un plan d'action réaliste afin de lever les barrières au changement et d'assurer un soutien et la valorisation des efforts dans les initiatives pour adopter le comportement visé.

TABLEAU 7

Stades et processus de changement de comportement
Exemple : habitudes d'activité physique chez une personne adulte diabétique de type 2

Stades de changement	Processus cognitifs et affectifs
Préréflexion La personne n'envisage pas de changer ses habitudes ou d'adopter de nouvelles habitudes d'activité physique à court terme (environ dans les six prochains mois).	**Éveil de la conscience** Exploration et apprentissage de faits nouveaux, d'idées et de connaissances nouvelles aidant l'adoption ou le changement de comportement. *Ex. : la personne prend conscience qu'il est possible de contrôler la glycémie par l'exercice physique.* **Dédramatisation** Ressentir des émotions négatives (peur, anxiété, appréhension) associées aux comportements à risque. *Ex. : la personne éprouve de l'anxiété ou de la peur lorsqu'elle se rend compte des conséquences possibles de ses comportements à risque (sédentarité, surpoids) sur l'évolution de son diabète.* **Réévaluation de l'environnement** Évaluation de l'effet négatif du comportement malsain et de l'effet positif du comportement favorable à la santé. *Ex. : la personne évalue l'effet négatif de la sédentarité sur le diabète et l'effet positif de l'activité physique pour le contrôle de la glycémie.*
Réflexion La personne envisage de changer ses habitudes ou d'adopter le comportement visé, l'activité physique à court terme, dans les six prochains mois. Elle éprouve toutefois de l'ambivalence à passer à l'action.	**Auto-réévaluation** Prendre conscience qu'un changement de comportement est une partie importante de l'identité de la personne. *Ex. : la personne se rend compte que l'exercice physique fait partie d'elle-même, de sa façon d'être et de vivre.* **Efficacité personnelle et soutien social** Mobilisation des sources de soutien et apprivoisement aux désavantages reliés au changement de comportement. *Ex. : la personne sollicite l'aide de ses proches pour faire plus d'exercice physique sur une base régulière afin de perdre du poids et apprivoise l'idée de devoir s'adapter aux frustrations reliées à la discipline que cet effort exige.*
Préparation Envisage de changer de comportement (faire davantage d'activités physiques) à court terme, dans plus ou moins un mois. Elle prend quelques initiatives à cet égard. Éprouve encore de l'ambivalence à passer à l'action.	**Autolibération** Prend un engagement ferme à changer de comportement. *Ex. : la personne s'engage à faire davantage d'exercice physique pour perdre du poids et contrôler sa glycémie.*

Lors des stades de réflexion et de préparation, la personne éprouve de l'ambivalence à passer à l'action. Il sera alors nécessaire de réduire ou d'éliminer cette ambivalence afin de faciliter la décision d'adopter le comportement visé.

L'intervention éducative ayant pour but d'éliminer ou de réduire l'ambivalence ne doit pas être uniquement de nature didactique ou pédagogique mais se doit aussi d'être une manière particulière d'être en relation avec la personne. L'entretien motivationnel s'inscrit dans cette orientation. Il s'appuie sur des principes faisant la promotion de la responsabilité individuelle dans le maintien ou l'amélioration de l'état de santé. L'entretien motivationnel s'avère particulièrement utile dans les situations où les personnes ont de la difficulté à reconnaître la gravité d'un problème de santé. Ces situations se rencontrent fréquemment dans le traitement des dépendances aux substances, où la dénégation du problème et l'ambivalence vis-à-vis du changement de comportement sont très caractéristiques.

Dans les situations où le comportement de santé d'une personne est un élément déterminant du pronostic, comme dans le traitement des maladies chroniques et l'autogestion des facteurs de risque, l'entretien motivationnel peut augmenter l'efficacité de l'éducation thérapeutique ou de l'éducation à la santé.

Qu'est-ce que l'entretien motivationnel ? Quels en sont les prémisses et les perspectives ainsi que les principes fondamentaux ?

Précisons d'entrée de jeu qu'il n'est pas de notre intention de présenter de façon détaillée la façon de faire de l'entretien motivationnel, car il est en effet possible de consulter plusieurs publications spécialisées et divers sites Web[11] pour approfondir les connaissances sur ce sujet. Il existe également des activités de formation continue permettant aux professionnels de la santé d'acquérir les habiletés de base ou de parfaire les compétences propres à cette approche.

---

11. Adresses de sites Web traitant de l'entretien motivationnel : http://www.entretienmotivationnel.org et http://motivationalinterview.org.

Définition de l'entretien motivationnel

L'entretien motivationnel est défini comme étant une « méthode de communication directive, centrée sur le client, pour augmenter la motivation intrinsèque au changement par l'exploration et la résolution de l'ambivalence » (Miller et Rollnick, 2006).

Les prémisses de l'entretien motivationnel sont les suivantes :

- Vouloir quelque chose et, en même temps, ne pas le vouloir (l'ambivalence) est inhérent à la nature humaine.
- La manière de parler à quelqu'un à propos d'un changement de comportement a une influence sur sa volonté de parler librement de la manière dont elle pourrait changer et de la raison pour laquelle elle le ferait.
- Il est bien rare qu'il suffise d'exposer à une personne les raisons et les moyens de changer son comportement pour que soit dépassée l'inertie attachée au *statu quo*.
- La personne a généralement en elle les motivations nécessaires pour un changement de comportement, mais elles sont contre-balancées et mises en échec par tout ce qui peut pousser à continuer comme avant.
- Une personne sera plus volontiers convaincue par ses propres désirs, capacités, raisons et besoins de changer que par ceux que les intervenants pourraient être tentés de lui imposer.
- Il n'y a pas de fondements à l'efficacité de l'entretien motivationnel si la personne ne ressent pas un conflit entre son comportement problématique actuel et des valeurs plus importantes à ses yeux.

Les perspectives de l'entretien motivationnel sont les suivantes :

- Il focalise sur les inquiétudes et les points de vue de la personne.
- Il est centré sur les intérêts et les préoccupations de celle-ci.
- Il explore les inadéquations au sein des valeurs et du vécu : la divergence, la dissonance cognitive.
- Il est volontairement dirigé vers la résolution de l'ambivalence et vers une dynamique de changement.
- Il s'agit d'une méthode plutôt que d'un ensemble de techniques.
- C'est une façon d'être « pour » et « avec » la personne pour faire émerger un changement de comportement.

Les principes fondamentaux de la pratique de l'entretien motivationnel sont les suivants :

a) Exprimer de l'empathie : l'écoute active et réflective permet de comprendre les sentiments et les points de vue de la personne sans les juger, les critiquer ni les blâmer. Poser des questions ouvertes et résumer les propos.

b) Développer la divergence : créer et amplifier, dans la manière de voir de la personne, une divergence entre son comportement actuel et ses valeurs de référence ou ses objectifs. Définir et clarifier les buts personnels et les valeurs de référence avec lesquels le comportement peut entrer en conflit.

c) Rouler avec la résistance : inviter la personne à prendre en considération de nouvelles informations et lui offrir de nouvelles façons de voir... sans les imposer. « Prenez ce que vous voulez et laissez le reste. »

d) Renforcer le sentiment d'efficacité personnelle, valoriser : accorder du crédit aux expériences passées de changements réussis par la personne elle-même ou par autrui auxquels elle peut s'identifier.

2.2.3 Influencer les forces externes de la motivation

Les forces externes sont essentiellement celles qui proviennent de l'environnement et qui incitent à l'action. La compétence de l'éducateur joue dans celles-ci un rôle de premier plan. Celui-ci doit faire preuve d'enthousiasme et de conviction à l'égard de l'éducation à la santé. Il doit être un habile communicateur qui emploie un vocabulaire accessible, adapté au niveau d'habileté cognitive de la personne, utiliser des termes précis pour informer ou expliquer et fournir des rétroactions positives le plus souvent possible (voir les habiletés de communication dans la partie 2.3.1.1 du manuel). Il importe également de choisir les bonnes méthodes et les bons outils adaptés aux objectifs visés, au contexte de l'intervention et aux caractéristiques personnelles et culturelles de la personne en apprentissage. Il devra utiliser une approche systémique en sollicitant et en encourageant l'appui de personnes significatives dans les efforts de changement de comportement et s'assurer de valoriser les progrès accomplis.

2.3 FACILITER L'APPRENTISSAGE DES CONNAISSANCES ET DES HABILETÉS REQUISES POUR L'ADOPTION DE COMPORTEMENTS FAVORABLES À LA SANTÉ

L'apprentissage est défini comme étant « un acte de perception, d'interaction et d'intégration d'un objet par un sujet. Acquisition de connaissances et développement d'habiletés, d'attitudes et de valeurs qui s'ajoutent à la structure cognitive d'une personne » (Legendre, 2005, p. 88). Apprendre, c'est intégrer quelque chose d'important à sa vie. C'est ancrer dans son cerveau un modèle, un processus d'action important pour soi de manière à le retrouver au moment opportun pour l'utiliser (Archambault, 2000).

Cette définition s'inscrit dans la perspective cognitiviste de l'éducation. Comme nous l'avons établi au début du module 2 du manuel, les assises théoriques de l'éducation à la santé sont largement inspirées de ce courant de pensée.

Dans la partie précédente, nous avons traité de diverses stratégies d'actions visant à influencer les forces internes et les forces externes de la motivation. La motivation est la première phase du processus cognitif d'apprentissage. Elle permet essentiellement à la personne de percevoir l'objet d'apprentissage en portant son attention au contenu proposé et en développant ou en maintenant un intérêt ou une disposition favorable à apprendre ce contenu.

Le rôle de l'éducateur consiste certes à accroître et à soutenir la motivation à apprendre, mais il consiste aussi à faire d'autres types d'interventions visant à faciliter les deux autres phases du processus d'apprentissage : traiter l'information nouvellement acquise et utiliser cette information en vue de résoudre un problème ou d'exercer une compétence particulière résultant de cet apprentissage.

2.3.1 Faciliter l'acquisition ou le traitement de l'information

Le traitement de l'information par la personne en apprentissage consiste à rappeler ce qu'elle sait déjà à propos de l'objet d'apprentissage. Il consiste également à percevoir le contenu nouveau, à l'encoder et à l'organiser de façon à pouvoir le mémoriser et l'utiliser pour résoudre des problèmes, analyser une situation ou juger d'une conduite à suivre. Pour faciliter cette phase du processus d'apprentissage, l'éducateur doit pouvoir communiquer efficacement avec la personne et faire un choix judicieux parmi diverses méthodes et outils éducatifs[12]. Ce choix sera établi en fonction des objectifs d'apprentissage, du contexte de l'intervention éducative et des particularités de la personne, dont le stade de développement cognitif, les limites à l'apprentissage (degré d'alphabétisation ou de littératie

12. On peut également utiliser l'appellation « outils d'intervention en éducation pour la santé » ou « outils pédagogiques » pour désigner les méthodes et les outils éducatifs (Lemonnier et collab., 2005).

en santé, déficits cognitifs et sensoriels), le style d'apprentissage et les caractéristiques socioculturelles[13].

Tentons de définir plus clairement ces deux conditions susceptibles de faciliter l'acquisition ou le traitement de l'information : la communication efficace et le choix judicieux de méthodes et d'outils éducatifs.

2.3.1.1 Communiquer efficacement avec la personne

Communiquer efficacement fait partie de la compétence attendue de l'éducateur. La communication est « le fait de manifester sa pensée ou ses sentiments, par la parole, l'écriture, le geste, la mimique, dans le but de se faire comprendre » (Legendre, 2005, p. 40). Dans le contexte pédagogique, la communication est une relation bidirectionnelle entre l'éducateur et l'apprenant. « Il est toujours nécessaire de savoir communiquer pour se faire comprendre, pour éviter les équivoques et les quiproquos » (Legendre, 2005, p. 41). Une communication efficace est une condition essentielle au processus d'enseignement-apprentissage. Helen Osborne (2001) et Sommer, Gache et Golay (2005) proposent divers moyens simples de communiquer plus efficacement lors des interventions éducatives. Voici sommairement en quoi ils consistent :

a) Créer un environnement positif

Adopter un ton de bienvenue, d'accueil. Prononcer adéquatement le nom de la personne en s'adressant à elle plus ou moins formellement, selon ses préférences. Encourager la personne à être active en lui suggérant d'apporter, lors du rendez-vous, une liste de ses observations et symptômes, de ses préoccupations et de ses questions. Prévoir suffisamment de temps pour la rencontre. Réagir aux émotions de la personne en manifestant de l'empathie et l'encourager à verbaliser ses inquiétudes et en tenir compte.

13. Ces aspects sont développés dans les parties 2.4 à 2.7 du manuel.

b) Communiquer clairement et simplement

Annoncer la structure logique de l'exposé ou de la discussion. Porter une attention particulière au rythme de la communication, allouer le temps nécessaire pour que la personne comprenne et réponde. Procéder par étapes, une à la fois, en décrivant chacune. Utiliser des termes courants plutôt que le jargon médical lorsque cela est possible. Lorsqu'un concept nouveau ou un terme non familier est utilisé, l'expliquer de façon à ce qu'il ait un sens pour la personne. Utiliser constamment la même terminologie pour désigner un objet. Être attentif aux signaux de difficulté de compréhension, reformuler au besoin au lieu de répéter les mêmes termes.

c) Utiliser des moyens variés pour passer le message

Enseigner en tenant compte du style d'apprentissage de la personne (cet aspect est traité dans la partie 2.5 du manuel). Ne pas se limiter à la parole et à l'écrit. S'assurer que les moyens et les contenus sont cohérents.

d) S'assurer que le message est compris

Poser des questions ouvertes, invitant la personne à dire et à expliquer dans ses mots ce qu'elle a compris, l'inviter à faire devant vous une technique enseignée et à décrire ce qu'elle compte faire à domicile pour appliquer ce qu'elle a appris. Selon les réponses obtenues, il est parfois indiqué de répéter les informations, de résumer le propos, d'expliquer à nouveau les points essentiels. Il peut aussi s'avérer utile de reformuler dans les mêmes termes que ceux qui sont utilisés par la personne afin de s'assurer d'avoir bien saisi comment celle-ci a compris les informations et les explications. Cette façon de faire correspond à la technique du *teach-back*, laquelle s'avère particulièrement utile avec les personnes ayant des limites au niveau de l'alphabétisation ou de la littératie en matière de santé (Ping Xu, 2012 ; Osborne, 2011).

2.3.1.2 Méthodes éducatives facilitant l'acquisition ou le traitement de l'information

Une méthode pédagogique ou méthode d'enseignement est définie comme étant « un ensemble de techniques agencées en vue d'atteindre un ou des objectifs pédagogiques. Au sens large, dans le langage courant, c'est la façon de faire. Elle est de l'ordre de la réalisation concrète des activités d'enseignement et d'apprentissage » (Legendre, 2005, p. 877). Nous privilégions le qualificatif « éducatif » à celui de « pédagogique » ou « d'enseignement » pour désigner les méthodes et les outils afin de clairement signifier, comme il a été expliqué dans la première partie du manuel, que l'éducation à la santé ne se limite pas à informer ou à instruire, mais également à « former à l'autonomie » en matière de santé. Le choix des méthodes et des outils éducatifs vise cette finalité en facilitant les apprentissages nécessaires pour y parvenir. « Éduquer a une extension plus grande qu'instruire, ce dernier se limitant à l'acquisition de connaissances. Instruire, c'est informer alors qu'éduquer est à la fois informer et former » (Legendre, 2005, p. 537).

Certaines méthodes éducatives visent plus particulièrement à « former la personne » pour l'exercice d'une plus grande liberté de choix et d'autonomie en matière de santé. Elles s'inscrivent alors dans une visée humaniste de l'éducation à la santé.

Quelques principes généraux peuvent guider le choix des méthodes éducatives pertinentes. Ces principes sont présentés au tableau 8 ci-dessous.

TABLEAU 8

Principes généraux guidant le choix des méthodes éducatives

1. La méthode éducative doit être choisie en fonction de l'objectif d'apprentissage : domaine et niveau d'apprentissage.
2. Les méthodes éducatives qui font appel à une participation active de l'apprenant (par exemple, un groupe de discussion, un jeu de rôle) favorisent l'atteinte d'un plus haut niveau d'apprentissage et de façon plus durable.
3. Les recherches ont démontré que toutes les méthodes éducatives sont équivalentes lorsqu'il s'agit de faire atteindre des objectifs simples, soit l'acquisition et la compréhension des connaissances.
4. Les méthodes centrées sur la personne, qui permettent des initiatives à l'apprenant et n'exercent pas un contrôle permanent sur les activités d'apprentissage, favorisent particulièrement la motivation à apprendre et la mémorisation.
5. On estime qu'en général nous nous souvenons de 10 % de ce que nous lisons, de 20 % de ce que nous entendons, de 30 % de ce que nous voyons, de 50 % de ce que nous voyons et entendons à la fois, de 80 % de ce que nous disons, et de 90 % de ce que nous disons en faisant quelque chose à propos duquel nous réfléchissons et qui nous implique (Mucchielli, 1985, p. 56).
6. Les mises en situation qui ressemblent le plus aux situations réelles auxquelles l'individu aura à faire face ont plus de chances non seulement d'attirer et de soutenir l'attention, mais aussi d'être plus efficientes.

Certaines méthodes éducatives sont considérées plus efficaces pour certains domaines d'apprentissage (Fitzgerald, 2008). Elles sont présentées au tableau 9.

TABLEAU 9

Domaines et niveaux d'apprentissage et méthodes éducatives

Domaine cognitif	Domaine affectif	Domaine psychomoteur
• Exposé • Groupe de discussion • Enseignement individuel • Enseignement programmé • Jeu • Jeu de rôle • Simulation • Modèle de rôle	• Groupe de discussion • Counseling • Enseignement individuel • Jeu • Jeu de rôle • Modèle de rôle	• Enseignement individuel interactif • Enseignement programmé • Démonstration et retour de démonstration • Simulation

Ces méthodes éducatives s'appliquent en général aux personnes et aux groupes restreints de personnes. Or, si le choix de s'adresser à une personne ou à un groupe de personnes peut dépendre des ressources disponibles (temps, lieu, matériel, etc.), il devrait surtout dépendre des objectifs visés.

L'atteinte des objectifs du domaine affectif peut être favorisée plus particulièrement par l'utilisation du groupe de discussion et le modèle de rôle. Les interactions entre les membres du groupe peuvent influer largement sur les croyances et les attitudes. Ainsi, le témoignage d'une personne diabétique sur ses succès dans l'autogestion de son diabète peut avoir un effet positif considérable sur la perception des membres du groupe quant à leur capacité personnelle d'y parvenir. Lorsque l'expérience d'un membre du groupe est positive, elle a un effet en modifiant les croyances ancrées chez les personnes résistantes à modifier certains comportements.

Deux grands principes peuvent guider la composition d'un groupe pour une intervention éducative :

a) Il faut que les membres du groupe aient des expériences variées, mais qu'ils soient assez homogènes quant à leur niveau d'apprentissage

b) Il faut éviter d'inclure des personnes trop anxieuses ou en période de négation de leur problème, ou en phase de colère ou d'agressivité face à leur problème de santé. Ces personnes bénéficieront davantage d'une intervention individuelle.

Il n'y a pas de méthode parfaite pour enseigner à tous les types d'apprenants, dans tous les types de contextes et pour les trois domaines d'apprentissage. L'efficacité d'une méthode dépend de plusieurs facteurs, dont les caractéristiques des apprenants (stade du développement, style d'apprentissage, limites), le domaine et le niveau des objectifs visés, le contenu des apprentissages, le contexte d'apprentissage (lieu, temps et ressources disponibles, intervention en petit groupe ou individuelle), mais aussi les compétences de l'éducateur (Bastable, 2008 ; Chamberland, Lavoie et Marquis, 1995). Il est généralement plus efficace d'utiliser une variété de méthodes et d'outils éducatifs. Chacune de ces méthodes a ses caractéristiques, ses avantages et ses inconvénients. En éducation à la santé, le choix d'une méthode éducative est basé sur différents facteurs tels :

- Les caractéristiques de l'auditoire (nombre, diversité, style d'apprentissage) ;
- L'expertise de l'éducateur ;
- Les objectifs d'apprentissage ;
- Le potentiel de la personne pour atteindre les résultats attendus (acquisition, rétention, transfert) ;
- Les rapports coûts/bénéfices et efforts/résultats ;
- Le contexte de l'intervention ;
- L'évolution de la technologie

(Fitzgerald, 2008 ; Bartholomew et collab., 2001 ; Chamberland, Lavoie et Marquis, 1995).

Dans un premier temps, chacune des méthodes sera brièvement définie et ses caractéristiques seront détaillées. La pertinence de l'utilisation sera également établie. Nous présentons par la suite, au tableau 10, une synthèse de l'ensemble des méthodes éducatives couramment utilisées dans le domaine de l'éducation à la santé. Pour chacune de ces méthodes, nous décrivons le rôle de l'apprenant et le rôle de l'éducateur ainsi que les avantages, les inconvénients et les limites de la méthode.

a) **L'exposé** : une méthode très structurée où l'éducateur transmet verbalement directement à une personne ou à un groupe de personnes des informations dans le but d'instruire. Un exposé permet de faire ressortir les idées principales ou les points de vue. Il est utile pour résumer des informations et des données probantes. Il facilite l'apprentissage du domaine cognitif particulièrement pour les deux premiers niveaux : connaître et comprendre. L'exposé comporte généralement trois parties : une introduction, un contenu et une conclusion. L'introduction présente les objectifs visés par l'exposé et la pertinence de ces objectifs. L'établissement du contenu de l'exposé nécessite une bonne préparation de la part de l'éducateur afin de s'assurer qu'il soit bien organisé, précis, logique, cohérent et intéressant. La conclusion permet de résumer l'information et de faire ressortir les points importants. L'exposé étant une méthode éducative plutôt passive, l'éducateur peut en accroître l'efficacité en y associant une autre méthode, tel le groupe de discussion, pour permettre une participation plus active des apprenants.

b) Le groupe de discussion : une méthode où les apprenants sont réunis pour échanger de l'information, des sentiments et des opinions avec les autres membres du groupe et avec l'éducateur. Le groupe de discussion offre aux participants une bonne part de contrôle. Il s'agit d'une méthode centrée sur la personne et le groupe constitue le moteur de l'apprentissage. La parole est d'abord et avant tout à l'apprenant. Le groupe de discussion est une méthode pertinente pour faciliter l'apprentissage dans le domaine cognitif (les niveaux connaître et comprendre) et le domaine affectif (les niveaux réception et réponse) minimalement. Le nombre de participants dans un groupe de discussion peut varier (entre 2 et 20) mais le nombre moyen devrait être autour de 10 afin que les membres puissent participer plus activement à la discussion.

L'objectif d'apprentissage visé par le groupe de discussion doit être clairement établi dès le début de la rencontre. Cet objectif guide l'interaction entre les participants et l'éducateur joue un rôle essentiel dans la gestion du temps et l'animation des échanges vers l'atteinte de l'objectif. L'éducateur doit posséder une expertise sur le thème de la discussion afin de pouvoir susciter les questions pertinentes, orienter les échanges et fournir les rétroactions utiles. Il est utile de rappeler ici l'importance de tenir compte de la hiérarchie des niveaux d'apprentissage : une personne doit avoir atteint un niveau d'apprentissage inférieur avant de performer à un niveau plus élevé. Ainsi, une personne diabétique doit d'abord connaître et comprendre les principes de la maîtrise de la glycémie par l'alimentation et la médication avant de discuter des moyens pour relever le défi de la gestion de l'alimentation et de la médication dans des contextes de vie variés. Ce raisonnement sur la hiérarchie des niveaux d'apprentissage s'applique aux trois domaines d'apprentissage.

Il importe aussi lors des groupes de discussion de viser une certaine homogénéité dans le choix des participants. Le fait de réunir des personnes ayant des caractéristiques très variées peut faire en sorte que ces personnes ne trouvent pas réponse à leurs besoins particuliers lors de la discussion. On fait référence ici au degré d'alphabétisation ou d'anxiété ou à la nature des expériences personnelles vécues avec le problème de santé aigu ou chronique.

Un groupe de discussion peut prendre diverses formes : un débat sur une question, un séminaire pour discuter d'un sujet sur lequel les participants auront préalablement lu, une étude de cas portant sur une situation vécue.

Il est important que l'éducateur maintienne le climat de confiance dans le groupe afin que chacune des personnes se sente à l'aise et en confiance pour s'exprimer. Le sarcasme, la moquerie et la brusquerie sont des comportements à éviter de la part de tous. Il faut plutôt faire preuve d'écoute, de respect et de tolérance.

Un groupe de discussion permet à la personne de partager ses préoccupations et ses solutions et de recevoir de l'aide et du renforcement de la part des autres participants. L'expérience positive de l'un devient une source de motivation pour les autres à l'égard de l'apprentissage visé. L'idée est que chacun se sente dans le « même bateau » et puisse s'identifier à ses pairs, l'expérience positive de l'un devient une source de motivation. Le groupe de discussion s'avère une méthode particulièrement utile pour aider les personnes et les familles aux prises avec la gestion d'une maladie chronique. Il aide notamment à l'établissement de stratégies d'adaptation par le partage des idées sur les solutions et les ressources. Le groupe de discussion contribue au développement du sentiment d'efficacité personnelle par la rétroaction positive, la persuasion et l'identification à un modèle de rôle dans certains cas.

c) **L'enseignement individuel** : une méthode plutôt informelle et interactive où l'éducateur facilite les apprentissages reliés aux besoins particuliers d'une personne. Il s'agit d'une occasion privilégiée de communiquer verbalement les connaissances, de partager les idées et les sentiments et de convenir mutuellement des objectifs à atteindre. Cette méthode diffère de l'exposé. Si l'on se réfère par exemple au modèle transthéorique de Prochaska, Norcross et

DiClemente (présenté dans la partie 2.2.2.4) traitant des interventions visant à influencer les attitudes, l'enseignement individuel permet d'adapter l'intervention éducative au stade de changement de comportement. Ainsi, lorsque l'éducateur s'adresse à une personne au stade de préréflexion, un enseignement individuel permet de fournir des informations d'une manière non menaçante, sans affrontement, de façon à ce que la personne prenne graduellement conscience des aspects négatifs ou des conséquences néfastes de son comportement. Si la personne est au stade de la réflexion, l'éducateur peut, par cette méthode d'enseignement, suivre le processus de décision pour le changement de comportement en mentionnant les avantages pour cette personne de changer de comportement, en tenant compte des barrières perçues et en faisant des suggestions pour lever ces barrières. Au stade de la préparation, l'enseignement individuel permet à l'éducateur d'appuyer les initiatives de la personne, d'établir conjointement des objectifs réalistes, de fournir les informations utiles pour les atteindre et de renforcer les efforts manifestés. Au stade de l'action, l'enseignement individuel permet à l'éducateur d'encourager la personne à persister dans l'adoption du comportement nouvellement acquis en faisant valoir les avantages retirés et en fournissant des rétroactions positives. Il est aussi possible par cette méthode d'aider la personne à satisfaire les conditions d'implantation du changement de comportement.

d) L'enseignement programmé : une méthode par laquelle l'éducateur fournit des activités d'apprentissage permettant à l'apprenant d'atteindre les objectifs d'apprentissage de façon autonome et indépendante. Il s'agit en général d'une forme de module d'apprentissage traitant d'un sujet particulier. Cette méthode est efficace pour les apprentissages des domaines cognitif et psychomoteur où il s'agit d'acquérir des connaissances et de les mettre en pratique. Les modules d'apprentissage peuvent prendre différentes formes : guide d'apprentissage, enregistrement vidéo, module informatisé. L'éducateur joue le rôle de facilitateur et de personne-ressource pour soutenir la motivation et assurer le renforcement de l'apprentissage. Un module d'enseignement programmé doit comporter les éléments suivants :

- une introduction décrivant le but visé, les éléments de contenu et un guide d'utilisation ;
- la description des habiletés préalables pour utiliser le module ;
- la liste des objectifs précisant clairement les habiletés attendues de l'apprenant au terme de l'apprentissage ;
- une forme de prétest permettant à l'apprenant de situer son niveau d'habiletés avant de passer à une étape ultérieure du module ;
- la description du matériel et des activités d'apprentissage proposées dans le module d'enseignement ;
- des mini tests périodiques avec rétroactions permettant à l'apprenant de décider s'il peut passer à une autre étape du module d'enseignement.

e) **Le jeu** : une méthode d'enseignement où l'apprenant doit participer à une activité de compétition avec des règles préétablies. Le jeu peut être individuel ou collectif. Le but d'un jeu, pour l'apprenant, est de le gagner en appliquant des connaissances et en pratiquant des habiletés préalablement apprises. Le jeu peut être de niveau plus ou moins complexe pour mettre au défi de résoudre des problèmes ou d'utiliser des stratégies cognitives tels le raisonnement et le jugement. Cette méthode d'enseignement est particulièrement efficace pour améliorer les capacités cognitives et peut aussi être utilisée pour développer les habiletés psychomotrices.

On pense aux jeux informatisés, par exemple Neuro Active, qui permet de maintenir ou d'améliorer les habiletés cognitives et la mémoire. D'autres formes de jeux, inspirées de jeux populaires, peuvent être adaptées pour répondre à des besoins d'apprentissage particuliers : un casse-tête, des mots croisés, une chasse aux trésors, des mots mystères, un quiz, etc.

Le jeu est une méthode particulièrement appréciée par les enfants et les adolescents. Bastable (2008) cite l'exemple des jeux sur le diabète de type 1 à l'intention des enfants de 8 à 16 ans. Ce type de jeu permet d'élaborer un programme quotidien de l'autogestion de la glycémie.

f) **La simulation** : une méthode où une situation fictive implique l'apprenant dans une activité reflétant les conditions de « la vraie vie » ou de la réalité sans pour autant présenter les risques de conséquences de la situation réelle. La simulation permet à l'apprenant de prendre des décisions dans un environnement sécuritaire. Il pourra être témoin des conséquences potentielles de ces décisions et évaluer l'efficacité de ses actions. Une discussion devrait suivre la simulation afin de permettre à l'apprenant d'analyser son expérience. Lorsque l'éducateur planifie une simulation, il importe que celle-ci représente le plus fidèlement possible la réalité, mais sans qu'elle soit menaçante. L'activité de simulation devrait poser un défi de résolution de problèmes et imposer une contrainte de temps. Elle doit imposer un niveau réaliste de tension et utiliser l'équipement actuel ou d'autres éléments de l'environnement dans lequel l'habileté sera requise. On pourrait par exemple utiliser une méthode de simulation pour faciliter l'apprentissage par les parents des mesures de monitorage des signaux de difficulté respiratoire en vue de prévenir une mort subite du nouveau-né. On peut aussi utiliser la simulation pour faciliter l'apprentissage de la réanimation cardiorespiratoire par les membres d'une famille.

g) **Le jeu de rôle** est une méthode particulièrement utile pour susciter les prises de conscience des comportements et des attitudes. Cette méthode permet de faire émerger les émotions et de mettre en évidence la réponse émotionnelle de la personne dans une situation donnée. L'apprenant interprète le rôle d'un personnage en situation hypothétique en vue de mieux comprendre les motivations qui justifient les comportements. Le jeu de rôle situe l'apprenant au cœur du processus et lui laisse une grande latitude quant à la façon de se comporter. Le jeu de rôle se distingue de la simulation par le caractère subjectif de la vision qu'on propose de la réalité. L'apprenant interprète un rôle de façon spontanée et a une grande liberté d'action quant à la manière d'interpréter ce rôle. Dans la simulation, il y a un souci de compréhension objective alors que, dans un jeu de rôle, c'est le domaine des perceptions et de la subjectivité qui est exploré.

Le jeu de rôle est utilisé surtout pour faciliter l'atteinte des objectifs d'apprentissage du domaine affectif. L'éducateur doit concevoir une situation et fournir les informations utiles afin de permettre aux apprenants de jouer le rôle d'une autre personne sans par ailleurs leur fournir un scénario précis. Les participants au jeu de rôle font et disent les choses qu'ils perçoivent comme étant celles que devrait faire, dire et ressentir la personne concernée. Le but visé par le jeu de rôle est d'aider les participants à percevoir et à comprendre un problème à travers les yeux des autres. Le jeu de rôle doit être utilisé seulement lorsqu'un groupe de personnes ou une personne se sent en confiance avec l'éducateur et les autres membres du groupe engagés dans l'activité éducative. Le jeu de rôle est suivi d'une période de discussion au cours de laquelle les participants peuvent exprimer leurs perceptions, leurs émotions et leur compréhension de la situation vécue.

Le jeu de rôle peut par exemple être utilisé avec un groupe d'adolescents et d'adolescentes pour l'apprentissage des attitudes et des habiletés interpersonnelles pour l'affirmation de soi et l'estime de soi lors des conflits reliés aux expériences sexuelles afin de prévenir les maladies transmises sexuellement et les grossesses non désirées. Il peut également être utilisé dans un contexte d'éducation à la santé mentale avec un groupe de femmes aux prises avec des difficultés d'affirmation de soi lors des situations de violence conjugale.

h) **Le modèle de rôle** est une méthode où le comportement d'une personne sert de « modèle » à suivre pour l'adoption d'un comportement. Cette méthode est inspirée du courant de pensée béhavioriste où la motivation est plutôt extrinsèque à la personne pour adopter un comportement ou pour faire un apprentissage. Cette motivation est en effet largement déterminée par la valorisation personnelle que retire une personne à s'identifier à un « modèle » pour l'adoption d'un comportement de santé. On reconnaît que la majorité des comportements humains sont appris par l'observation d'autrui ou l'apprentissage vicariant. Certaines personnes deviennent en effet des modèles de rôle dans le domaine de la santé en ayant atteint un niveau optimal de santé par leur détermination et leur engagement à obtenir ou à maintenir un bonne forme physique et mentale. On pense ici par exemple à l'utilisation d'un modèle de rôle pour inciter de jeunes adolescents diabétiques ou asthmatiques à faire l'apprentissage des moyens de maîtriser les symptômes de leur maladie en s'identifiant à un athlète qui, au même âge, s'adapte de façon exceptionnelle à sa condition de santé et qui malgré tout performe à un bon niveau dans un sport valorisé par les jeunes. Les campagnes publicitaires visant certains comportements préventifs utilisent souvent cette méthode. On pense par exemple à des images véhiculées à la télévision où l'on associe l'image du citoyen adulte ayant une certaine notoriété (un comédien adulé, un politicien respecté, un leader social) qui se rend au centre de vaccination pour être immunisé contre une grippe pandémique ou saisonnière. Le modèle de rôle est parfois aussi utilisé dans une direction moins souhaitable, par exemple lors des campagnes publicitaires associant des images de la bonne forme physique avec la consommation d'alcool et la malbouffe. Il y a également les activités éducatives de groupe (groupe de discussion, jeu de rôle) réunissant des personnes ayant des caractéristiques assez homogènes (personnes ayant un diabète de type 2 ou personnes ayant un problème d'obésité et d'hypertension ou personnes alcooliques ou toxicomanes) et parmi lesquelles on retrouve également des personnes ayant vécu avec succès l'apprentissage des moyens de maîtriser ou d'autogérer leur problème de santé. Ces personnes peuvent constituer des modèles de rôle pour leurs pairs.

i) **Le counseling** met en évidence les habiletés relationnelles requises de l'éducateur pour que ses interventions soient « éducatives » en visant non seulement à instruire, mais aussi, et sinon davantage, à aider la personne à exploiter son plein potentiel d'autonomie en matière de santé[14]. Cette méthode s'inscrit dans le courant humaniste existentiel de l'éducation et elle facilite les apprentissages des domaines cognitif et affectif. Elle traduit l'esprit de la définition de l'éducation à la santé que nous avons retenue pour orienter le contenu de ce manuel de formation en mettant en valeur la dimension du

14. L'entretien motivationnel décrit à la partie 2.2.2.4 est une forme de counseling, bien que son orientation soit plus directive en visant à réduire l'ambivalence face à l'adoption ou au changement d'un comportement de santé.

respect de la volonté des personnes et du choix d'interventions non coercitives pour faciliter l'adoption volontaire d'un comportement favorable à la santé.

Le terme « counseling », créé par Carl Rogers, est utilisé pour désigner un ensemble de pratiques aussi diverses que celles qui consistent à orienter, aider, informer, soutenir, traiter (Legendre, 2005). La philosophie prédominante du counseling est la croyance en la dignité et en la valeur de l'individu dans la reconnaissance de sa liberté à déterminer ses propres valeurs et ses objectifs et dans son droit à poursuivre son style de vie. Le counseling accorde une importance à la relation d'aide, à la croyance dans le potentiel d'une personne ou d'un groupe, à l'établissement d'une relation où l'empathie l'emporte sur l'autorité, à l'environnement comme facilitateur du changement. Il ne consiste pas seulement à fournir de l'information, même si cette dernière est présente. Ce n'est ni endoctriner ni décider à la place d'un autre, ce n'est pas interviewer, bien que l'entrevue fasse partie du processus, et ce n'est pas de la psychothérapie. Le counseling s'accorde aux principes démocratiques de respect de l'individu, de la croyance en son potentiel d'autodétermination, et en sa capacité de résoudre ses problèmes. Il suppose une participation volontaire de la personne. L'éducateur qui utilise cette méthode a la volonté d'aider pour faciliter l'apprentissage des comportements favorables à la santé. Il utilise les théories et les recherches pertinentes pour alimenter sa pratique. Il ne juge pas la personne, il fait plutôt preuve de respect. Il est centré sur les besoins de la personne à aider.

Le counseling peut constituer une réponse centrée sur la mobilisation des ressources et des capacités de la personne à faire face aux problèmes qui la concernent et à les résoudre grâce à l'établissement d'une relation de type thérapeutique. On utilise d'ailleurs de plus en plus l'expression « éducation thérapeutique[15] » lorsqu'on s'adresse aux personnes atteintes de maladies chroniques (le diabète, l'asthme, l'insuffisance cardiaque, l'insuffisance rénale), mais aussi de maladies de durée limitée (les épisodes pathologiques nécessitant un

15. Voir à la partie 1 du manuel pour la définition de ce concept de l'éducation thérapeutique des patients.

traitement anticoagulant ou antalgique prolongé). Les pathologies en cause sont souvent asymptomatiques en dehors de leurs manifestations initiales, mais elles nécessitent au quotidien, de la part des personnes, une adhésion étroite aux diverses modalités du traitement et de la surveillance (prise de médicaments, suivi de régime, autosurveillance de paramètres biologiques, etc.) afin d'éviter la survenue de complications.

Selon la perspective de Tourette-Turgis (1992, 1996), les bases du counseling sont les suivantes :

- L'écoute : compétence de base indispensable à l'exercice d'autres capacités comme la capacité de reformuler les contenus d'un entretien, les émotions et les sentiments exprimés.
- L'acceptation : les attitudes et les comportements de l'éducateur indiquent à la personne que quelqu'un est en train d'essayer de la comprendre, de l'accepter dans sa totalité.
- L'absence de jugement : le jugement de valeur bloque les capacités de la personne à se responsabiliser car il maintient la dépendance à autrui.
- L'empathie : capacité de percevoir et de comprendre les sentiments d'une autre personne. Processus dans lequel l'éducateur tente de faire abstraction de son propre univers de référence, mais sans perdre contact avec lui-même, pour se centrer sur la manière dont la personne perçoit la réalité.
- La congruence : état d'être de l'éducateur quand ses interventions sont en accord avec les émotions et les réflexions suscitées en lui par la personne. Pour ce faire, celui-ci doit être disponible à ses propres émotions intérieures et les accepter. L'authenticité de la relation interpersonnelle de l'éducateur facilite le changement de la personne en lui permettant aussi d'être elle-même, d'être également congruente.
- Les diverses techniques utilisées en counseling :
  - formuler des questions ouvertes pour faciliter l'exploration et l'expression des points de vue ;

- reformuler des contenus pour vérifier la bonne compréhension de ce que la personne veut exprimer ;
- reformuler des émotions et des sentiments pour aider la personne à se comprendre elle-même (peur, colère, tristesse, dégoût, surprise, joie) ;
- clarifier les aspects évoqués pour accroître les capacités d'analyse et de verbalisation de la personne concernant des situations, des événements ou des sentiments ;
- focaliser pour stimuler le processus exploratoire et faciliter la résolution de problèmes ;
- respecter les silences de la personne pour favoriser l'entrée en contact de la personne avec elle-même. Le silence favorise la prise de conscience de soi ;
- refléter les sentiments exprimés par la personne n'est pas une fin en soi, mais plutôt un moyen d'aider celle-ci à mieux se comprendre en ramenant à la surface un vécu intérieur et de mettre en lumière certains problèmes.

j) **La démonstration et le retour de démonstration** : la démonstration est une méthode par laquelle l'éducateur démontre à une personne comment faire preuve d'une habileté particulière. Le retour de démonstration est, pour sa part, la démonstration d'une habileté par l'apprenant en suivant les consignes de l'éducateur. C'est en quelque sorte une pratique supervisée de la performance d'une habileté. Ces deux formes de démonstration facilitent les apprentissages des domaines cognitif et psychomoteur.

Avant une démonstration, l'éducateur doit informer l'apprenant du but visé, des étapes à franchir, de l'équipement requis et des actions attendues. L'équipement doit être adéquat, fiable et représentatif de la réalité dans laquelle il sera utilisé. L'apprenant doit être en mesure de bien voir et entendre chacune des étapes enseignées. Il est donc préférable d'utiliser cette méthode individuellement ou en petit groupe, à moins de disposer de la technologie permettant de projeter les images sur un grand écran et de pouvoir ainsi s'adresser à un plus grand groupe. La démonstration peut être plus profitable si le rythme de la démonstration est assez lent et si l'éducateur divise la procédure en de courtes étapes. Il est important d'expliquer pourquoi chacune des étapes doit être franchie. La démonstration permet à l'apprenant de se faire une image mentale d'une procédure technique.

Le retour de démonstration doit avoir lieu le plus tôt possible après la démonstration faite par l'éducateur. L'apprenant peut ressentir le besoin d'être rassuré pour calmer son anxiété avant de procéder car il peut percevoir le retour de démonstration comme étant un test à subir. Il peut également croire que sa démonstration doit être parfaite dès le départ. L'éducateur doit donc agir comme un guide ou un instructeur et non un évaluateur. Il s'agit d'une méthode facilitant l'apprentissage et non d'une méthode évaluative. Pour que le retour de démonstration soit plus efficace et pour maintenir la concentration chez l'apprenant, l'éducateur devra demeurer plutôt silencieux et éviter d'engager une conversation ou de poser des questions pendant l'exercice. Le résultat attendu dépend du niveau d'apprentissage visé. Le retour de démonstration devra permettre à la personne d'atteindre le niveau souhaité.

L'utilisation de chacune des méthodes décrites ci-dessus est plus pertinente pour l'un ou l'autre des domaines d'apprentissage. Chacune présente également des avantages et des inconvénients et le rôle de l'éducateur peut être différent.

Le tableau 10 ci-dessous offre une synthèse des méthodes éducatives les plus couramment utilisées dans le domaine de l'éducation à la santé et leurs caractéristiques respectives (inspiré du tableau de Fitzgerald, dans Bastable, 2008, chap. 11).

TABLEAU 10
Caractéristiques générales des méthodes éducatives

Méthodes	Domaine	Rôle de l'apprenant	Rôle de l'éducateur	Avantages	Inconvénients
Exposé	Cognitif	Passif	Fournir l'information	Peu coûteux Grand groupe	Non individualisé
Groupe de discussion	Cognitif Affectif	Actif	Guider et animer	Stimule le partage des idées et des émotions	Timidité et dominance des pers. Diversité des personnalités
Enseign. individuel	Cognitif Affectif Psychomoteur	Actif	Fournir l'information Individualiser l'enseignement	Répond aux besoins et buts individuels	Travail intensif Isole l'apprenant
Enseign. programmé	Cognitif Psychomoteur	Actif	Concevoir le matériel Fournir rétroaction	Rythme individuel Consistance	Coûteux Procrastination Requiert un bon niveau d'alphabétisation
Jeu	Cognitif Affectif	Actif	Animer Discuter post. action (débriefing)	Suscite l'enthousiasme	Peut être trop compétitif
Simulation	Cognitif Psychomoteur	Actif	Concevoir l'environnement Faciliter le processus Discuter post. action (débriefing)	Pratiquer la réalité dans un environnement sécuritaire	Travail intensif Coût de l'équipement
Jeu de rôle	Affectif	Actif	Concevoir le canevas Discuter post. action (débriefing)	Développe l'empathie	Dramatisation ou banalisation du rôle
Modèle de rôle	Cognitif Affectif	Passif	Repérer un modèle	Socialisation d'un rôle-comportement	Requiert une forme d'interaction avec le modèle
Counseling	Cognitif Affectif	Actif	Aider Conseiller	Stimule l'affirmation et l'estime de soi	Requiert habiletés relationnelles et disponibilité
Démonstration	Cognitif Psychomoteur	Passif	Définir le modèle et l'habileté	Familiariser avec l'habileté-comportement	Petit groupe
Retour de démonstration	Psychomoteur	Actif	Fournir une rétroaction	Encadrement immédiat	Disponibilité

2.3.2 Méthodes éducatives facilitant le développement de la capacité d'agir (empowerment) : la prise de décision éclairée/partagée et la résolution de problèmes

Les publications scientifiques récentes traitant de l'apprentissage de l'autogestion des maladies chroniques font souvent référence au concept anglais *empowerment* ou de la capacité d'agir. L'*empowerment* est défini comme étant un « processus par lequel les personnes possèdent les connaissances, les attitudes, les habiletés et la conscience de soi (*self-awareness*) nécessaires pour influencer leurs propres comportements et ceux des tiers afin d'améliorer leur qualité de vie » [traduction libre] (Funnell et collab., 1991, cité dans Newton et collab., 2011, p. 326).

Promouvoir la capacité d'agir, c'est mettre davantage en valeur la liberté, l'autonomie et l'autodétermination de la personne plutôt que la conformité/*compliance* avec les recommandations des professionnels de la santé. C'est conférer à la personne un sentiment de pouvoir et de contrôle sur sa santé en établissant une relation de collaboration, de réciprocité et de partenariat pour une prise de décision éclairée et partagée et pour l'application efficace d'un processus de résolution de problèmes. C'est également renforcer l'estime de soi en mettant en exergue les capacités et l'expertise des individus pour reconnaître leurs propres valeurs, priorités, inquiétudes, buts et ressources en considérant les particularités des habitudes de vie, de la culture et du mode de vie.

La capacité d'agir d'une personne est constituée de compétences ou d'habiletés psychosociales particulières. Ces habiletés sont les suivantes (Goudet, 2005) :

- La capacité de prendre des décisions éclairées et partagées ;
- La capacité d'appliquer une démarche de résolution de problèmes ;
- La capacité d'analyse critique et prospective des situations vécues et d'être créatif dans les choix d'actions, de réfléchir sur l'expérience de vivre avec un problème de santé (par exemple le

diabète, l'asthme, l'hypertension) et sur les conséquences des choix d'action selon la situation de vie ;

- La capacité de communiquer efficacement, clairement, affirmativement et avec cohérence, les points de vue, les attentes, les émotions ;
- La confiance en ses propres capacités, l'efficacité personnelle ;
- La gestion du stress et des émotions.

Lors de l'exercice de l'éducation à la santé, l'éducateur devra utiliser des méthodes éducatives pertinentes pour développer la capacité d'agir chez une personne. Le counseling, l'entretien motivationnel, l'enseignement individuel ainsi que le jeu de rôle et la simulation, qui sont des méthodes éducatives interactives, nous semblent particulièrement utiles pour ce faire. Ces méthodes contribuent certes à faciliter l'acquisition et le traitement de l'information, mais elles peuvent aussi permettre une participation plus active de la personne dans l'apprentissage de certaines compétences et habiletés.

Les publications scientifiques traitant de l'autogestion des maladies chroniques font référence surtout aux deux compétences suivantes : la prise de décision éclairée et partagée ainsi que la démarche de résolution de problèmes[16]. Les personnes aux prises avec un problème de santé chronique, et aussi celles qui vivent à un problème de santé aigu, doivent en effet souvent prendre des décisions difficiles face à un choix de traitements ou de mesures diagnostiques parfois invasives et comportant un certain degré de risque pour la santé. Les personnes souffrant d'un problème de santé chronique doivent de plus en plus apprendre à résoudre elles-mêmes des situations problématiques pour l'autogestion efficace des symptômes et du traitement médical prescrit ainsi que des soins requis par leur condition de santé. Pour ces raisons, nous avons choisi de traiter plus particulièrement de ces deux compétences dans ce manuel.

16. Pour approfondir vos connaissances sur ces deux notions, voir la liste des références correspondantes sur le sujet à la fin du manuel.

Nous sommes toutefois d'avis que les autres compétences psychosociales caractérisant la capacité d'agir sont aussi importantes à maîtriser. Les méthodes éducatives décrites précédemment peuvent jusqu'à un certain point contribuer à les développer. À titre d'exemples, le counseling et l'entretien motivationnel peuvent contribuer à accroître la capacité d'une personne de communiquer clairement ses besoins et ses questionnements et d'analyser de façon critique et prospective les situations vécues dans sa condition de santé et sa maladie. Il est également possible par ces deux méthodes ainsi que par celles du jeu de rôle et de la simulation, d'augmenter la confiance en ses capacités personnelles et de faire l'apprentissage de moyens concrets pour la gestion efficace du stress et des émotions.

Voyons donc comment l'éducateur peut faciliter plus précisément l'apprentissage de la prise de décision éclairée et partagée ainsi que de la démarche de résolution de problèmes.

a. Faciliter la prise de décision éclairée et partagée ?

Le partenariat et la réciprocité ne doivent pas demeurer des concepts abstraits, ni constituer des vœux pieux lorsqu'il s'agit d'éduquer à la santé. Ces caractéristiques du mode relationnel à établir avec la personne doivent en effet se concrétiser dans les interventions éducatives par une prise en compte effective du potentiel individuel et de l'expertise acquise par celle-ci pour prendre soin de sa santé. C'est dans cet esprit que l'on parle de partenariat et de réciprocité : le professionnel de la santé joue un rôle d'expert et de personne-ressource et la personne qui sollicite ses services s'approprie un rôle actif dans la prise de décision et l'application des mesures préventives ou des mesures thérapeutiques qui lui sont proposées.

Ainsi, le médecin traitant aura dans certaines situations à appliquer une démarche de prise de décision éclairée et partagée avec le « patient » dans le respect des libertés individuelles sur les options de traitements et des risques inhérents. Les autres professionnels de la santé auront le plus souvent à faciliter une prise de décision éclairée et partagée concernant les mesures préventives telles le dépistage et les habitudes de vie et parfois aussi de mesures thérapeutiques complémentaires (ex. : les médecines douces et alternatives).

Pour faciliter une prise de décision éclairée et partagée, l'éducateur doit s'assurer des aspects suivants chez la personne :

- Une compréhension adéquate de sa condition de santé ;
- Une compréhension adéquate des risques et des bénéfices des options possibles ;
- Une estimation par la personne des « pour » et des « contre » de l'adoption du comportement visé en fonction de ses valeurs et de ses priorités ;
- Les décisions prises sont jugées satisfaisantes pour la personne.

Voir, ci-dessous, quelques repères pouvant guider l'éducateur lors d'une intervention de counseling visant une prise de décision éclairée et partagée face à l'adoption d'un comportement de santé.

Pour illustrer le propos, nous utiliserons l'exemple d'une femme en période de ménopause qui, lors de son bilan annuel de santé dans un service de soins de première ligne, se questionne sur la pertinence d'avoir recours ou non à l'hormonothérapie ou plutôt aux « médecines douces »... ou de ne rien faire d'autre que des mesures d'hygiène de vie pour soulager les inconforts liés à sa condition (chaleurs, insomnie, irritabilité, humeur dépressive, etc.). Il s'agit ici pour cette personne de décider d'adopter ou non un type d'autosoin susceptible de diminuer les manifestations incommodantes de la ménopause.

Dans bien des cas, la femme posera la question suivante : « Que feriez-vous à ma place ? » Il ne faut surtout pas se faire complice d'une telle attitude de passivité si l'on souhaite une cohérence avec l'orientation de la prise de décision éclairée et partagée.

Il serait plus pertinent pour l'éducateur, lors du counseling ou de l'enseignement individuel avec cette personne, de procéder de la façon suivante[17] (Murray, Miller, Fiset, O'Connor et Jacobsen, 2004) :

a) Évaluer la décision et le conflit décisionnel en invitant la personne à parler de la décision à prendre et évaluer où la personne est rendue dans la prise de décision. Il lui faudra aussi vérifier les connaissances de cette personne sur les options offertes, renforcer la connaissance exacte, clarifier les malentendus, établir les faits, rectifier les attentes.

b) Il sera aussi nécessaire de vérifier le degré de conviction personnelle à l'égard de la meilleure option pour cette personne (prendre ou ne pas prendre d'hormones, avoir ou non recours aux « médecines douces »... ou simplement adopter une meilleure hygiène de vie).

c) Faire avec la personne le bilan des avantages et des risques et désavantages pour chacune des options possibles. Il sera aussi important de vérifier quels sont les avantages et les risques et inconvénients les plus importants à ses yeux. Clarifier ce qui est le plus important pour la personne et, s'il y a lieu, faciliter le partage de ses valeurs avec les autres personnes engagées dans la prise de décision.

d) Évaluer les sources de soutien pour la prise de décision : quel rôle cette personne préfère-t-elle jouer dans la prise de décision ? Est-ce qu'elle dispose d'un soutien et de conseils suffisants pour prendre une décision ? Est-ce que sa décision se fait sans pression provenant d'autres personnes ? Le cas échéant, qui d'autre est engagé dans sa prise de décision ?

---

17. Une équipe de recherche de l'Université d'Ottawa (Ontario, Canada) dirigée par la docteure Annette O'Connor a mis au point une série d'outils d'aide à la décision adaptés au contexte clinique des interventions professionnelles. Le *Guide personnel d'aide à la décision* (Ottawa, 2011), accessible gratuitement pour téléchargement en format pdf. nous semble particulièrement utile. Voir http://decisionaid.ohri.ca/francais/gpdo.html. Un autre exemple est celui de l'outil d'aide à la décision créé par l'Institut national de santé publique du Québec (INSPQ) à l'intention des femmes de 50 à 69 ans du Québec invitées à participer au programme de dépistage du cancer du sein par la mammographie : « Participer au Programme québécois de dépistage du cancer du sein : votre décision », http://campus-virtuel.inspq.qc.ca/pages/decision-sein et www.msss.gouv.qc.ca.

e) Évaluer la qualité de la décision : éclairée, attentes réalistes, choix cadrant avec les valeurs et les priorités.

b. Faciliter l'apprentissage de l'application de la démarche de résolution de problème ?

Une personne aux prises avec un problème de santé chronique (par exemple, le diabète, l'asthme, l'insuffisance cardiaque, maladie pulmonaire obstructive chronique, etc.) est de plus en plus invitée à assumer une forte proportion des soins requis par sa condition de santé. Or, l'autogestion quotidienne du traitement médical, des soins et des habitudes de vie a des répercussions sur la santé et le bien-être (qualité de vie) de la personne. Les personnes contrôlent l'autogestion de leur vie quotidienne et sont de ce fait responsables de leurs décisions et des conséquences de celles-ci. Les professionnels de la santé, par leur rôle éducatif, ont par ailleurs la responsabilité de faire tout leur possible pour faciliter l'apprentissage de l'autogestion des soins et des traitements requis par la condition de santé de leur clientèle. Cet apprentissage concerne non seulement les connaissances requises au sujet du traitement médical, les soins corporels et les mesures préventives, mais aussi les habiletés d'autogestion du problème de santé afin de pouvoir vivre le plus normalement possible et de façon autonome et sécuritaire dans le milieu de vie naturel. L'apprentissage de la démarche de résolution de problème s'avère ainsi très utile pour faciliter l'autogestion du problème de santé.

Les étapes de la démarche de résolution de problème sont les suivantes :

1. Description du problème
2. Énumération des barrières perçues
3. Inventaire des solutions possibles
4. Établissement d'un plan d'action
5. Implantation des solutions
6. Évaluation
7. Révision

Pour faire l'apprentissage de l'application de cette démarche, la personne doit être engagée activement dans les activités éducatives. Dans cette optique, des méthodes éducatives interactives tels l'enseignement individuel, la simulation et ainsi que l'enseignement programmé s'avèrent de bons choix. L'essentiel est que, lors de l'intervention éducative, la personne concernée puisse être mise en situation d'utiliser ses connaissances et sa créativité pour trouver des solutions concrètes pour lever les barrières à l'autogestion optimale de sa condition de santé et gagner ainsi une plus grande capacité d'agir (*empowerment*) pour améliorer sa condition de santé et ultimement sa qualité de vie.

Voyons, par exemple, comment l'éducateur pourrait procéder lors d'un enseignement individuel avec une personne diabétique pour accroître sa capacité de résolution des problèmes reliés à l'autogestion du diabète. Notons au passage que cette façon de faire implique pour le professionnel de la santé un certain renoncement à la directivité et à l'« interventionnisme » au profit du partenariat et de la réciprocité. **Éduquer à la santé est un processus qui requiert du temps et de la patience !** Mais cela ne vaut-il pas l'effort pour atteindre une autonomie accrue et une qualité de vie ?

À l'aide d'un exemple appliqué à l'alimentation chez une personne diabétique, le tableau 11 ci-dessous présente, pour chaque étape de la démarche de résolution de problème, des repères pouvant guider l'intervention éducative.

TABLEAU 11

Repères pour l'application d'une démarche de résolution d'un problème relié à l'alimentation chez une personne diabétique

Étapes	Description	Interventions éducatives
Connaissance et conscience du problème	Apport excessif de calories lors des repas.	Informations factuelles sur le lien entre l'apport calorique et la glycémie. Constats sur les résultats des mesures récentes de la glycémie et des symptômes ressentis.
Énumération des barrières	Barrières perçues à la réduction de l'apport calorique recommandé lors des repas et des collations.	Établir la liste des barrières à l'observance de l'apport calorique requis. Pondérer ces barrières selon l'avis de la personne diabétique.
Inventaire des solutions	Solutions possibles pour lever les barrières perçues à la modification de l'apport calorique.	Explorer avec la personne diabétique les solutions potentielles, à sa portée, pour lever les barrières.
Plan d'action	Plan d'action pour lever les barrières d'un apport calorique acceptable.	Établir, avec la personne, des objectifs réalistes, à court terme afin de renforcer le sentiment d'efficacité personnelle.
Implantation des solutions	Prise de décision partagée et passage à l'action.	Établir conjointement, avec la personne, les modalités concrètes d'application des solutions retenues.
Évaluation	Évaluation du succès ou non des solutions implantées.	Retour critique sur la qualité des solutions appliquées : conformes aux attentes ? réalistes ? choix cadrant avec les valeurs et les priorités ?
Révision	Nouvelle prise de décision sur les solutions à implanter.	Renforcer les connaissances et la confiance envers la prise de décision, l'accès au soutien et aux ressources.

L'efficacité d'une méthode éducative peut être accrue par une utilisation pertinente et judicieuse de divers outils éducatifs susceptibles de faciliter les trois phases du processus d'apprentissage : la motivation, l'acquisition et la performance. Les outils éducatifs sont des objets ou des véhicules servant à transmettre l'information. Ils sont un complément aux méthodes éducatives. Il existe une grande variété d'outils éducatifs sous formes visuelles et audiovisuelles et sous forme d'équipements matériels. On pense par exemple à une très large panoplie de documents commerciaux ou de « documents maison institutionnels » tels les dépliants, les manuels d'instruction, les affiches, le matériel servant à la démonstration, le matériel informatique avec texte, images ou animation enregistrés sur un support informatisé (site Web ou logiciels interactifs). Chacune de ces formes d'outils éducatifs a des caractéristiques particulières, des avantages et des inconvénients à être utilisée.

Dans la partie suivante, nous présenterons quelques repères pouvant aider l'éducateur à choisir ou à concevoir divers outils éducatifs. Nous avons sélectionné les outils éducatifs les plus souvent utilisés dans le domaine de l'éducation à la santé.

2.3.3 Caractéristiques des outils éducatifs couramment utilisés dans le domaine de l'éducation à la santé

Les outils éducatifs sont des objets ou des véhicules servant à transmettre l'information. Ils sont un complément aux méthodes éducatives (Hainsworth, 2008).

Le choix judicieux d'un outil éducatif doit tenir compte de divers facteurs :

- **Les caractéristiques de l'apprenant** : il importe de bien connaître l'« auditoire » afin de choisir le média le plus approprié. Aucun outil éducatif n'est universel et ne peut servir dans toutes les situations. L'éducateur doit considérer les habiletés sensorimotrices de la personne, ses particularités physiques, son degré d'alphabétisation, la nature de sa motivation (intrinsèque ou extrinsèque), son stade de développement, son style d'apprentissage et ses particularités culturelles (voir les parties 2.4 à 2.7 du manuel pour plus de détails à ce sujet). L'outil doit pouvoir attirer et soutenir l'attention de la personne sans la distraire du contenu à apprendre. Il doit susciter une émotion agréable, un plaisir autant que possible.
- **L'accessibilité et les caractéristiques du média** : il existe un grand nombre de médias autonomes (dépliants, brochures, livres et livrets, cédéroms, DVD, etc.) et de médias de communication qui sont rattachés à un réseau de communication (télévision, ordinateur et Internet). La complexité d'utilisation

par l'éducateur et les apprenants peut aussi être assez variable. Puisqu'aucun outil n'est d'utilité universelle, l'éducateur doit faire preuve de compétence, de souplesse, de simplicité et de créativité en privilégiant une approche multimédia afin d'optimiser l'efficacité de ses interventions et de faciliter l'atteinte des objectifs d'apprentissage. Il doit de plus tenir compte des ressources dont il dispose pour se procurer les outils requis et s'adapter au contexte d'enseignement : le temps et l'équipement dont il dispose, sa connaissance de l'outil utilisé et les qualités acoustique et visuelle du lieu de l'activité éducative.

- **Les caractéristiques de la tâche** : l'éducateur doit choisir l'outil le plus approprié selon le domaine d'apprentissage (cognitif, affectif, psychomoteur), le niveau d'apprentissage visé et la complexité du comportement à faire adopter. Le choix de l'outil sera en effet différent selon que l'éducateur vise à communiquer des informations qui doivent être mémorisées à long terme et utilisées pour résoudre des problèmes particuliers d'autosoin. Il en est de même pour le choix d'outils éducatifs visant à influencer les attitudes ou à accroître des habiletés psychomotrices.

Les outils éducatifs ont une capacité plus ou moins grande de faciliter la rétention des informations transmises. Rappelons qu'une personne retient 10 % de ce qu'elle lit, 20 % de ce qu'elle entend, 30 % de ce qu'elle voit, 50 % de ce qu'elle voit et entend, 70 % de ce qu'elle dit ou écrit (interagir en parlant ou en écrivant) et 90 % de ce qu'elle dit et fait à la fois lorsqu'elle pratique sur de vrais objets ou modèles (Mucchielli, 1985 ; Hainsworth, 2008 ; Sopczyk, 2008).

Chacun des outils éducatifs a ses propres caractéristiques. Ils sont décrits avec plus ou moins de précisions dans la plupart des volumes du domaine de l'éducation à la santé et de l'éducation thérapeutique. Nous avons choisi de décrire trois grandes catégories d'outils éducatifs : 1) le matériel écrit sous forme imprimée de type papier, carton ou plastique ; 2) le matériel audiovisuel informatisé et 3) le matériel modèle démonstrateur. Nous présentons les principales caractéristiques et les avantages et les inconvénients de l'utilisation de chacune de ces catégories.

a. Le matériel écrit sous forme imprimée

Le matériel écrit peut prendre des formes diverses : communiqués, feuillets, dépliants et brochures, volumes, manuels d'instructions, affiches, etc.

Il peut être produit commercialement, par les compagnies pharmaceutiques ou par les fabricants d'appareils médicaux ou encore par les éducateurs eux-mêmes au profit de leur institution.

Lors de l'utilisation du matériel de type commercial, l'éducateur doit faire preuve de vigilance pour repérer les biais possibles (publicité) dans le contenu proposé. Voici quelques aspects particuliers qui devront être considérés avant l'utilisation de tels outils :

- Qui a produit le matériel ? Il devra être produit par des professionnels de la santé ayant une expertise reconnue sur le sujet traité ;
- Est-ce que l'outil peut être validé ? L'éducateur devrait avoir la possibilité de vérifier la précision du contenu en fonction des besoins de la clientèle visée ;
- Est-ce que l'utilisation de l'outil présente un avantage coût/bénéfice ? Cette évaluation se fait en considérant l'importance du contenu à transmettre. Est-ce que le coût de l'outil est justifié ou serait-il plus avantageux d'utiliser un outil plus simple, moins coûteux et dont la mise à jour est possible ?

Si l'éducateur opte pour la conception d'un matériel écrit de nature plus institutionnelle dans le but de réduire les coûts ou de répondre à des besoins propres à une clientèle, il devra s'assurer de respecter les critères suivants :

- Le matériel écrit est conforme aux politiques, aux procédures et aux équipements de l'institution ;
- Il répond aux questions les plus souvent posées par la clientèle visée ;
- Il fait ressortir les éléments considérés comme étant les plus importants par les médecins et les autres professionnels de la santé ;

- Il sert à renforcer le contenu d'un exposé oral en clarifiant divers concepts.

L'éducateur doit aussi personnaliser le plus possible le « message » à transmettre de façon à ce que le contenu, la structure et les illustrations correspondent aux besoins particuliers des personnes concernées. Il peut par exemple inscrire le nom de la personne sur la couverture et surligner les informations les plus pertinentes pour celle-ci.

Il est fréquent de constater que le contenu du matériel écrit est trop élaboré, trop détaillé et de niveau trop élevé pour la clientèle visée. Voici quelques repères utiles pour éviter ces écueils :

- Présenter clairement le but visé par l'outil éducatif ;
- Rédiger un contenu clair, précis, concis et à jour ;
- Structurer le contenu de façon à respecter une logique, étape par étape ; éviter les détails justifiant le choix du contenu ; prioriser et limiter le contenu au matériel dont les apprenants ont véritablement besoin et éviter celui qui serait simplement intéressant ou agréable d'inclure ;
- Présenter succinctement le « quoi », le « comment » et le « quand » de ce qui doit être acquis par l'apprenant ; un format questions et réponses ou des subdivisions et des sous-titres sont des façons de faire efficaces ;
- Mettre l'accent sur le comportement visé : le contenu doit aider à résoudre un problème ;
- Éviter le plus possible d'utiliser le jargon médical et vulgariser les définitions en adoptant un langage familier. Utiliser avec constance la même terminologie ;
- Déterminer le niveau moyen d'alphabétisation de la clientèle visée et rédiger le contenu de façon à ce qu'il corresponde à au moins 2 et jusqu'à 4 niveaux inférieurs au niveau d'alphabétisation moyen estimé (voir plus de détails sur la mesure du niveau d'alphabétisation à la partie 2.7.1 du manuel) ;

- Toujours faire les affirmations en termes positifs (éviter par exemple les « à ne pas faire ») en illustrant uniquement les bonnes façons de faire ;
- Susciter la motivation par une présentation attrayante et simple du matériel écrit ;
- Présenter un sommaire ou un résumé des principaux points sous formes de mots, d'exemples ou d'images.

Quelle que soit la forme utilisée, les repères ci-dessus s'appliquent pour la rédaction du contenu du matériel écrit. Il importe toutefois de définir quelques caractéristiques de l'affiche qui constitue une forme très courante de matériel écrit.

◆ L'affiche comme outil éducatif

L'affiche est un matériel de type papier ou carton ou plastique qui utilise l'écrit et l'illustration pour présenter un contenu d'apprentissage. Elle peut être utilisée seule ou comme outil complémentaire d'un exposé oral ou d'une démonstration. Le but premier de l'utilisation d'une affiche est de stimuler l'attention. Le contenu doit être concis. L'efficacité d'une affiche réside dans sa capacité de laisser une image mentale permettant à l'apprenant de bien percevoir le contenu à apprendre et de se souvenir de l'information, donc d'activer son processus de perception et de traitement de l'information. L'interaction entre le lecteur et le contenu du message est la clé du succès de l'affiche. Elle doit avoir du sens pour la personne, être évocatrice.

La conception d'une affiche devrait respecter les principaux critères suivants :

- Utiliser un titre accrocheur et bref (au maximum dix mots ou deux lignes) avec un lettrage assez gros et assez clair pour être lisible à une distance d'un ou deux mètres ;
- Faire une phrase d'introduction qui oriente le lecteur vers le sujet traité ;
- Utiliser des cercles, des flèches ou des lignes qui permettent de fusionner le focus, la séquence et l'unité du contenu ;

- Répartir le contenu afin qu'il soit bien équilibré de chaque côté de l'affiche ;
- Utiliser des couleurs complémentaires (spectres opposés) en tenant compte des nuances, de la pureté des couleurs et de leur brillance. Les couleurs peuvent jurer si elles sont trop rapprochées sur ces trois aspects ;
- Une seule couleur devrait constituer 70 % de l'affiche ;
- Parce que l'image vaut mille mots, les illustrations et les graphiques devraient être simples et intégrés de façon équilibrée au texte ;
- Le langage doit être commun, simple, concis, sans jargon ni abréviation non familière.

L'utilisation du matériel écrit sous forme imprimée présente les avantages suivants :

- Le matériel est toujours disponible ;
- Il permet de structurer l'enseignement ;
- On peut maîtriser le rythme de lecture ;
- Les concepts peuvent être expliqués de façon complète et adéquate ;
- Les étapes d'un procédé peuvent être décrites ;
- Le matériel peut renforcer l'exposé oral ;
- L'apprenant peut toujours revenir sur le contenu précédent.

L'utilisation du matériel écrit imprimé présente également quelques inconvénients :

- La conception et la rédaction requièrent du temps ;
- Il est plus impersonnel ;
- Les possibilités de rétroactions de la part de l'éducateur sont limitées ;
- Un contenu plus complexe peut submerger l'apprenant ;

- Le niveau d'alphabétisation de l'apprenant peut être une limite à l'utilisation du matériel écrit.

b. Le matériel audiovisuel informatisé

L'ordinateur devient rapidement un moyen courant de transmettre un contenu d'apprentissage. L'avènement de la technologie a grandement fait évoluer la façon d'enseigner ou d'éduquer. Le matériel audiovisuel informatisé soutient et facilite le processus d'apprentissage en stimulant les sens de la vue et de l'ouïe et en favorisant l'utilisation d'une variété d'expériences d'enseignement-apprentissage. Les moyens audiovisuels permettent notamment de développer une mémoire visuelle, laquelle est plus permanente que la mémoire auditive. Ils accentuent la capacité de retenir l'information en reliant ce qui est entendu avec ce qui est vu.

L'utilisation du matériel audiovisuel informatisé pose un défi à l'éducateur : adapter le choix du média à ses propres habiletés à utiliser ce type de matériel et l'adapter aussi aux capacités de l'apprenant. On observe une évolution constante des technologies informatiques de l'information et de la communication et une habileté variable de l'apprenant à les utiliser. Les plus jeunes ont été éduqués dans l'environnement technologique informatisé (fichier audio MP3, téléphone cellulaire intelligent, ordinateur portable, Web et Internet sans fil, etc.). Les personnes plus âgées sont généralement moins familières avec ces technologies. Il est alors important que l'éducateur tienne compte de ces particularités et adapte les outils d'enseignement à la capacité des apprenants à les utiliser ou à apprendre à les utiliser.

Comme pour l'utilisation de toutes les autres formes d'outils éducatifs, il importe de s'assurer de la précision et de l'exactitude du contenu véhiculé, de la disponibilité des ressources pour les acheter et les utiliser (logiciels et ordinateurs).

Dans la partie qui suit, nous décrirons sommairement les caractéristiques de trois catégories de matériel audiovisuel informatisé couramment utilisées comme outils éducatifs : la projection assistée par ordinateur, PowerPoint, les logiciels sur disques compacts (cédérom et DVD ou autres formes comparables), Internet et les sites Web.

◆ La projection PowerPoint

Le PowerPoint a remplacé depuis quelques années le matériel plastique des diapositives et des transparents. Il s'agit d'une séquence de diapositives virtuelles présentées sur un écran d'ordinateur.

Sur le site techno-science.net (encyclopédie scientifique en ligne), on peut lire que c'est un logiciel de présentation assistée par ordinateur (PAO) édité par Microsoft, fonctionnant sous Windows et Mac OS. Il fut originellement développé pour les Macintosh, puis fut adapté pour Microsoft. PowerPoint permet de créer des diaporamas contenant des « diapositives ». Il permet en fait de créer une succession de pages vierges dans lesquelles sont placés des objets, des images, du texte. Le terme de diapositive est issu des diapositives photos, rendues obsolètes par l'emploi des présentations PowerPoint. Les présentations peuvent être projetées au moyen d'un vidéoprojecteur, visionnées sur un écran d'ordinateur, imprimées ou exportées pour être visionnées sur une page Web.

Deux types d'animations existent dans PowerPoint :

- les transitions qui permettent d'animer le passage d'une diapositive à une autre ;
- les animations qui permettent d'animer les objets contenus dans les diapositives (images, texte...).

Ces animations peuvent être réglées pour s'enchaîner automatiquement ou défiler manuellement (action d'un présentateur).

Encore peu connues il y a quelques années, les présentations PowerPoint sont devenues aujourd'hui incontournables, permettant d'ajouter facilement et rapidement un support visuel efficace à un exposé oral.

Voici quelques critères à respecter pour la conception et l'utilisation d'une projection PowerPoint :

- Illustrer une seule idée par page ;
- Utiliser des images simples et claires, des symboles et des diagrammes ;

- Assurer une juste proportion de la largeur par rapport à la hauteur de l'image : deux sur trois par exemple ;
- Utiliser un gros lettrage, un caractère facilement lisible, sur fond contrastant et adopter un style professionnel pour la présentation ;
- Utiliser cet outil pour susciter l'interaction entre l'éducateur et l'apprenant plutôt que pour uniquement communiquer un contenu ;
- Prévoir sur quelques pages du PowerPoint des espaces blancs à remplir ou des idées à développer de façon à susciter la réflexion et la pensée critique chez l'auditoire ;
- Minimiser les détails et réduire chaque idée à plus ou moins six éléments sur chacune des pages ;
- Minimiser l'utilisation de l'animation et du son pour ne pas distraire du contenu ;
- Maintenir l'uniformité dans le modèle de présentation ;
- Fournir une copie papier de la présentation (trois diapositives par page) pour faciliter la prise de notes au besoin ;
- Prévoir la projection d'une page à la minute et un maximum de 60 pour une heure de présentation ;
- Allouer assez de temps pour que l'auditoire puisse lire et s'approprier les concepts présentés et au besoin poser des questions.

Il faut se rappeler que le visuel doit enrichir le contenu du message et non pas devenir le message ! L'auditoire doit se concentrer sur le contenu et non sur le contenant. L'abus de l'utilisation du PowerPoint peut ennuyer l'auditoire et réduire les possibilités d'interaction et de discussion. Techno-science.net affirme que de plus en plus de voix s'élèvent contre l'usage abusif du PowerPoint en Amérique du Nord. On considère qu'un outil mal employé peut évidemment être contre-productif. Certains l'accusent de rassurer plus le présentateur que le public. D'autres l'accusent de forcer le public à adhérer à ce qui est marqué sur le diaporama, quel que soit le genre d'inscription.

Signalons enfin l'émergence d'une expression, « Death by PowerPoint », littéralement « Mort par PowerPoint », qui qualifie les présentations mal faites. Le problème ne vient d'ailleurs pas toujours du diaporama, mais parfois aussi de la prestation du présentateur.

L'utilisation du PowerPoint offre néanmoins les avantages suivants :

- Relativement facile à concevoir ;
- Économique à produire ;
- Permet de transmettre de l'information à de grands et petits auditoires ;
- Peut être facilement modifié, contenu et forme, lorsque cela est nécessaire ;
- Véhicule un message de façon attrayante et adaptée pour les personnes de tous âges pour faciliter la rétention du contenu ;
- Renforce un message verbal en y associant une dimension visuelle : texte, animation ou photos ou images ;
- Peut être gravé sur un cédérom (réinscriptible ou non) ou un DVD (*digital versatil disc*) ou encore copié sur une clé USB (unité de stockage de petit format se connectant sur le port USB d'un ordinateur).

Par ailleurs, le principal inconvénient à utiliser la projection PowerPoint est de devoir le faire en réduisant la lumière de la pièce pour permettre une meilleure visibilité. Il faut également qu'un projecteur et un écran soient disponibles. Finalement, il faut assurer une compatibilité entre le matériel informatique (Windows PC ou Macintosh).

◆ Le matériel informatique : enregistrement ou logiciel sur disque compact (cédérom et DVD) ou autres dispositifs électroniques de stockage ou de mise en mémoire d'un contenu (exemple la clé USB)

Un disque compact, un DVD ou d'autres types de dispositifs de stockage d'information sont autant de supports disponibles pour l'enregistrement du contenu d'un outil éducatif. Le média n'est pas le message cependant ! La qualité et la pertinence du contenu éducatif enregistré sous forme de texte, de son, d'image ou d'animation dépendent de l'expertise de son concepteur et aussi de celle de l'équipe technique qui l'utilise. L'informatique offre de multiples possibilités de stimulation des sens pour activer le processus d'apprentissage. Plusieurs institutions, organisations et compagnies pharmaceutiques offrent ce type de matériel pour aider les personnes à mieux comprendre une maladie et les principes d'un traitement ou pour faire l'apprentissage d'habitudes de vie plus saines (par exemple, un cédérom ou DVD traitant d'exercices de relaxation, de techniques de méditation, d'exercices physiques, etc.).

La même vigilance s'impose pour le choix pertinent d'un matériel informatique de qualité que pour le choix d'autres formes d'outils éducatifs (voir la partie précédente). L'éducateur doit bien connaître l'outil suggéré et s'assurer qu'il constitue une valeur ajoutée et un complément à ses méthodes éducatives[18].

Ces outils éducatifs sont de plus en plus populaires et ils présentent plusieurs avantages à être utilisés :

- Ils sont de petit format, portables, peu coûteux et faciles d'utilisation ;
- Ils sont faciles à copier ;
- Ils peuvent présenter un contenu à la fois écrit, audio et vidéo ;
- Ils peuvent être écoutés ou visionnés dans tous types de lieux et à toute heure de la journée moyennant la disponibilité de l'équipement requis.

18. Les règles de conception d'un outil éducatif informatisé sont assez complexes. Elles ne peuvent être l'objet d'un apprentissage dans ce manuel de formation à l'éducation à la santé. Les lecteurs sont invités à consulter des ouvrages spécialisés dans le domaine du multimédia pour approfondir ce savoir-faire.

Il y a peu d'inconvénients à l'utilisation des disques compacts :

- Ceux ayant un contenu audio seulement ont le désavantage de faire appel à un seul sens. L'apprenant peut donc être plus facilement distrait ;
- Il n'y a pas d'interactivité entre l'apprenant et l'éducateur, sauf si des activités (jeux, simulations, mini-tests) ont été programmées.

◆ L'utilisation du World Wide Web (WWW) ou des sites Web

Dans cette partie, nous traiterons de quelques principes généraux guidant l'utilisation appropriée de la technologie d'Internet dans le domaine de l'éducation à la santé. Soulignons qu'en raison de la complexité et de l'évolution constante et rapide de cette technologie il est impossible de traiter de façon exhaustive des caractéristiques de cette technologie dans un manuel de formation. Nous espérons par ailleurs susciter un intérêt chez les professionnels de la santé pour l'explorer et pour exploiter de façon critique et appropriée son plein potentiel.

Clarifions la terminologie : World Wide Web (WWW) ou sites Web *versus* Internet (Bastable, 2008). Bien que ces deux termes soient reliés, ce sont des entités différentes. Internet est un réseau informatique mondial d'ordinateurs permettant de transmettre l'information d'un ordinateur à un autre. Internet, souvent traduit en français par le terme « toile », a pour fonction d'échanger l'information alors que le World Wide Web (WWW) permet d'afficher l'information.

D'un point de vue technique, le World Wide Web (WWW) est un réseau de serveurs d'informations connectés à la « toile » Internet. Les serveurs qui constituent le WWW contiennent des documents que l'on nomme « pages Web ». Les pages Web sont écrites en Hypertext Markup Language (HTML). Ce langage permet également de structurer sémantiquement et de mettre en forme le contenu des pages, d'inclure des ressources multimédias, des images, des formulaires de saisie et des éléments programmables tels que des logiciels (wikipedia.org, 2009). Il s'agit donc d'un espace virtuel d'informations. L'utilisateur du WWW peut aller d'une page Web à une autre en utilisant un fureteur tel Netscape Navigator ou Microsoft Internet Explorer. Les moteurs de recherche tels que Google et Yahoo sont des programmes informatiques permettant de chercher un sujet en particulier sur le réseau Internet. Le WWW occupe une petite section d'Internet et ne pourrait exister sans le réseau Internet.

Les professionnels de la santé ne sont donc plus les seuls à détenir l'information pour fournir des réponses aux questions des personnes qui sollicitent les services de santé. Lorsque celles-ci rencontrent les professionnels de la santé, elles sont en effet de plus en plus « informées » sur les caractéristiques de leurs problèmes de santé et sur les traitements disponibles. Elles prennent parfois, à tort ou à raison, des décisions basées sur des informations disponibles sur divers sites Web dont la crédibilité et la rigueur scientifique peuvent être douteuses. Dans ce contexte, l'éducateur devient plutôt un facilitateur de l'apprentissage qu'un « fournisseur » d'informations. L'apprenant a maintenant davantage besoin de développer une pensée critique face aux informations disponibles sur Internet que de mémoriser cette information qui lui est plus facilement accessible. L'éducateur doit en conséquence aider les individus à bien définir le problème qui les incite à consulter, à rechercher l'information pertinente dont ils ont besoin et à évaluer de façon critique l'information qu'ils trouvent sur les sites Web.

À titre indicatif, une enquête du Centre francophone de recherche en informatisation des organisations (CEFRIO, 2008) nous apprend que 30 % des adultes québécois ont utilisé le Web au cours de l'année 2007 pour se renseigner sur une maladie ou un médicament. En outre, au cours des trois derniers mois précédant leur sondage, 24 % des internautes québécois s'étaient servis d'Internet pour obtenir des informations sur une maladie en particulier, 23 % pour en savoir plus sur le traitement de maladies et, enfin, 22 % pour obtenir de l'information sur le mode de vie (nutrition, exercice, prévention des maladies).

Puisque l'éducateur doit jouer un rôle de facilitateur pour l'utilisation adéquate d'Internet comme outil d'apprentissage, il doit au préalable avoir développé ses propres compétences à naviguer sur Internet et à repérer les sites fiables en ligne. On s'attend des éducateurs qu'ils exercent un jugement critique sur la qualité des sites et de l'information qu'ils contiennent, et qu'ils donnent leur avis sur les sites qu'ils recommandent. Voici quelques critères permettant d'évaluer la qualité d'un site Web.

TABLEAU 12

Critères d'évaluation d'un site Web (Sopczyk, 2008; London, 1999)

Critères d'évaluation d'un site Web
Exactitude
• Les informations sont-elles appuyées par des résultats probants?
• Les résultats probants proviennent-ils de sources réputées et sont-ils à jour?
• Est-ce qu'on peut trouver les mêmes informations sur d'autres sites Web?
• Est-ce que l'information est complète, exhaustive?
• Est-ce que plus d'un point de vue est présenté?
Conception
• La navigation sur le site est-elle facile?
• Est-ce que la présentation est soignée? Les liens et hyperliens sont-ils fonctionnels?
• Les informations sont-elles présentées de façon appropriée pour les clientèles visées?
• Est-ce que les illustrations graphiques sont utiles ou simplement esthétiques ou décoratives?
Auteurs ou commanditaires
• Les auteurs ou les commanditaires du site sont-ils clairement identifiés?
• Est-ce que les auteurs citent leurs sources de référence?
• Est-ce que les auteurs ou les commanditaires fournissent les coordonnées pour être contactés au besoin?
• Est-ce que le but visé par le site est clairement décrit par les auteurs ou les commanditaires?
• Est-ce qu'il y a des raisons de croire que les auteurs ou les commanditaires puissent être biaisés pour traiter du sujet?
Mise à jour du site
• Est-ce qu'il y a une indication de mise à jour du contenu du site?
• Est-ce qu'il y a une évidence de mise à jour des sources de référence?
Imputabilité ou crédibilité
• Est-ce que les auteurs ou les commanditaires sont crédibles (site gouvernemental, institution d'enseignement, organisme professionnel de santé ou site personnel)?
• Est-ce que les auteurs ou les commanditaires sont des sources de référence crédibles considérant le but visé par le site Web?

L'organisme Health on the Net a créé la certification HONcode (HONcertifié en français) pour améliorer la qualité et assurer la fiabilité des informations en ligne destinées au grand public et aux professionnels de la santé. Pour qu'un organisme obtienne cette certification, il doit satisfaire les standards de précision et de confiance pour l'information en matière de santé. De plus en plus d'organismes et d'associations diffusant de l'information en ligne respectent les huit principes de la charte du HONcode. C'est le cas, par exemple, de Diabète Québec (www.diabete.qc.ca) et de l'Association canadienne du cancer et de l'excellent site de Passeport santé (http://www.passeportsante.net) qui affichent le logo sur leur page d'accueil attestant de la fiabilité de leur site.

L'éducateur doit aussi aider les personnes à utiliser judicieusement Internet pour l'apprentissage des connaissances nécessaires à l'adoption de comportements favorables à la santé. Voici quelques pistes d'action pour ce faire :

- Demander à la personne si elle utilise Internet et, s'il y a lieu, l'informer sur les ressources d'accès à cette technologie.
- Les sites Web contiennent des informations qui peuvent être biaisées, imprécises et trompeuses. Plusieurs sont commandités par des entreprises commerciales cherchant à vendre leurs produits. D'autres contiennent des informations fournies par des profanes et qui sont fondées sur des opinions plutôt que sur des faits scientifiques et sur des résultats probants. Certaines personnes peuvent consulter des sites Web dédiés aux professionnels de la santé et ne pas avoir les connaissances requises pour comprendre et interpréter le contenu des écrits de nature professionnelle. Il peut alors être nécessaire de vérifier la pertinence et la crédibilité des sources d'information (sites Web) consultées. Pour ce faire, il est évidemment utile d'avoir accès à un ordinateur et à Internet dans le lieu de la rencontre avec la personne et d'explorer avec celle-ci les sites consultés et les sites recommandés afin de l'aider à développer une attitude critique face à ces ressources et de faire au besoin l'enseignement requis pour compléter ou corriger l'information.

- Certaines personnes peuvent être hésitantes à dire qu'elles ont consulté un site Web pour obtenir des informations sur leur condition de santé ou sur les traitements possibles, de peur que leur démarche soit interprétée comme un manque de confiance à l'égard du professionnel de la santé. Elles peuvent aussi éprouver un malaise à discuter des informations dont elles disposent si elles ne les comprennent pas entièrement. Il est donc important que l'éducateur manifeste, dès le début de la relation avec la personne, son intérêt à discuter avec celle-ci des informations acquises par la consultation d'Internet. Cet intérêt doit se maintenir lors du suivi de la condition de santé afin de maintenir le dialogue à ce sujet.

◆ L'utilisation d'Internet comme outil éducatif

Internet est une technologie qui a une influence considérable sur nos vies et sur les façons d'enseigner et d'apprendre. L'information est maintenant instantanément à la portée de tous. Les technologies éducatives utilisées sur place ou à distance font en sorte que l'apprenant interagit dans un environnement multidimensionnel. Cette technologie offre non seulement un grand accès à une multitude de sources d'information, mais permet également la création de nouvelles stratégies éducatives. Elle n'est pas pour autant une solution magique pour l'efficacité de l'enseignement et de l'apprentissage. À l'instar de l'utilisation de toutes les autres formes d'outils éducatifs, l'utilisation d'Internet nécessite une planification rigoureuse des activités éducatives, un suivi de l'apprentissage et l'évaluation de l'atteinte des objectifs visés. L'éducateur qui utilise Internet comme outil éducatif doit non seulement bien comprendre son fonctionnement, mais aussi intégrer cette technologie dans une planification des activités éducatives fondées sur les principes éducatifs explicités dans la première partie du module 2 de ce manuel.

On peut, par exemple, utiliser le courrier électronique (courriel) pour répondre aux questions des clientèles et pour créer une liste d'envoi (listserv) pour acheminer automatiquement des informations ou des mises à jour de contenus éducatifs. Il est aussi possible de créer une bibliothèque virtuelle et d'y déposer de la documentation et des hyperliens à l'intention d'un groupe particulier. Dans certaines situations, il serait utile de créer une communauté virtuelle d'apprentissage pour faciliter l'apprentissage de l'autogestion du suivi d'une maladie chronique par un groupe restreint de personnes ayant des besoins communs. On peut aussi imaginer l'implantation d'un site de clavardage, d'un blogue ou d'un forum de discussion permettant à un groupe de personnes d'interagir avec l'éducateur et avec des pairs lors d'activités éducatives à distance. On peut même envisager l'utilisation d'une caméra Web dans certains cas, ajoutant ainsi la possibilité de faire une démonstration et d'observer directement la performance de l'apprenant.

Bien que ce ne soit pas encore d'usage courant avec les clientèles des services de santé, ces modes de communication électroniques pourront progressivement être implantés et permettre ainsi d'accroître l'accessibilité de l'information et des ressources éducatives tant en mode synchrone qu'en mode asynchrone selon les besoins et les contextes d'intervention. Chaque mode de communication a ses propres caractéristiques et des règles de fonctionnement faisant appel à des habiletés techniques particulières pour leur mise en application.

Nous vous invitons à consulter des ouvrages spécialisés traitant des technologies de l'information et de la communication pour approfondir vos connaissances et pour développer votre savoir-faire dans ce domaine. Il faut également demeurer vigilant avant d'investir temps et énergie dans l'utilisation de ces nouveaux modes de communication électroniques avec les clientèles. À cet égard, il est indiqué de consulter régulièrement la littérature scientifique (des résultats probants issus de recherches crédibles) pour juger de la valeur ajoutée de ces technologies pour l'apprentissage des connaissances, des attitudes et des habiletés nécessaires à l'adoption de comportements favorables à la santé.

c. Le matériel démonstrateur

Le matériel démonstrateur comprend un ensemble de médias écrits (affiches, tableaux blancs ou noirs ou à feuilles mobiles) et non écrits, tels un étalage de divers objets par exemple des aliments de plastique, des modèles démonstrateurs en trois dimensions comme une pièce anatomique tels un cœur, des poumons, un squelette, un thorax et la poitrine, une poupée et de l'équipement médical tels un inhalateur, une seringue, un sphygmomanomètre. Ces médias servent à stimuler les sens de la vision et du toucher et sont utiles surtout pour des apprentissages du domaine cognitif et du domaine psychomoteur (Lowestein et collab., 2009).

Les modèles démonstrateurs en trois dimensions (pièce anatomique et matériel médical) sont des répliques d'un objet original. Ils permettent plus particulièrement à la personne en situation d'apprentissage d'appliquer les connaissances acquises et de pratiquer une habileté technique particulière.

Ce type de matériel ou d'outil éducatif peut être utilisé de différentes façons :

- pour faire la démonstration d'une habileté ou d'un procédé que la personne peut ensuite répéter, par exemple réanimation cardiopulmonaire, l'autoexamen des seins ;
- pour l'autoapprentissage de l'anatomie et le fonctionnement de divers organes (le cerveau, les organes digestifs, les poumons) ;
- pour l'apprentissage d'une habileté technique, par exemple l'injection d'insuline, l'utilisation d'un glucomètre, d'un débitmètre, d'un inhalateur.

Nous avons présenté un tour d'horizon des bases théoriques, des méthodes et des outils éducatifs les plus couramment utilisés dans le domaine de l'éducation à la santé. Il est cependant essentiel que l'éducateur prenne en compte les particularités de la clientèle en apprentissage afin que ses interventions éducatives soient adaptées à celles-ci et soient plus efficaces pour faciliter l'apprentissage des connaissances, des attitudes et des habiletés requises pour l'adoption d'un comportement favorable à la santé.

Dans les parties qui suivent, nous traiterons de particularités de certaines clientèles pour lesquelles l'éducateur doit adapter ses interventions éducatives afin de faciliter l'apprentissage. Nous faisons ici référence aux particularités suivantes : l'âge, le stade du développement cognitif et du développement psychosocial de l'apprenant, le style d'apprentissage, les caractéristiques culturelles, le niveau d'alphabétisation et les déficits cognitifs et sensoriels.

2.4 ADAPTER L'INTERVENTION ÉDUCATIVE AU STADE DU DÉVELOPPEMENT COGNITIF ET AU STADE DU DÉVELOPPEMENT PSYCHOSOCIAL DE LA PERSONNE

Comme nous l'avons souligné antérieurement, la pratique de l'éducation à la santé est fondée principalement sur les principes des courants de pensée cognitiviste et humaniste de la psychologie et des sciences de l'éducation. À certains égards, elle s'inspire également des principes du béhaviorisme. C'est sur la base de ces fondements théoriques que nous traiterons de la particularité des interventions éducatives correspondant aux divers stades du développement cognitif et du développement psychosocial de la personne.

L'âge chronologique de la personne peut servir de marqueur approximatif de l'évolution de son développement cognitif et de son développement psychosocial. La croissance et le développement humain ne sont cependant pas tributaires uniquement de l'âge chronologique. Ils dépendent également de l'environnement physique et social dans lequel la personne se développe, de son état de santé et du soutien social qu'elle reçoit. Ces facteurs ont une influence sur la réceptivité à l'apprentissage et sur la capacité d'apprendre.

Une explicitation détaillée de chacun des stades du développement cognitif et du développement psychosocial de la personne déborde les visées de ce manuel de formation. Nous croyons que la très grande majorité des professionnels de la santé sont susceptibles d'acquérir ces connaissances lors de leur formation professionnelle initiale. Les personnes désireuses de revoir plus en détail et de façon plus approfondie ces connaissances peuvent consulter des ouvrages spécialisés du domaine de la psychologie et de l'éducation. Nous tenons donc pour acquis que le lecteur possède déjà des notions sur les stades du développement de l'intelligence (ou développement cognitif) tels qu'ils sont décrits dans la taxonomie de Jean Piaget et sur les stades du développement psychosocial tels qu'ils sont décrits dans la taxonomie d'Érik H. Erikson (Legendre, 2005).

Dans cette partie nous présenterons, sous la forme d'un tableau synthèse, un rappel sommaire des caractéristiques des stades du développement cognitif et du développement psychosocial et quelques exemples de stratégies éducatives pertinentes pour chacun de ces stades.

TABLEAU 13

Stades du développement cognitif, stratégies et interventions éducatives (Adaptation du tableau 5.1 de Bastable et Dart, dans Bastable, 2008, chap. 5)

Stades	Caractéristiques du stade	Exemples de stratégies éducatives adaptées au stade du développement
Petite enfance Âge : 0-2 ans Stade cognitif : sensorimoteur Stade psychosocial : Confiance *vs* méfiance (0-12 mois) Autonomie *vs* honte et doute (1-2 ans)	• Dépendance à l'environnement • Besoin de sécurité • Période d'exploration de soi et de l'environnement • Curiosité naturelle	• Fournir l'enseignement aux parents • Favoriser la participation active des parents • Favoriser un contexte de proximité physique • Établir une alliance avec les parents • Fournir des informations détaillées • Réduire l'anxiété : répondre aux questions et aux préoccupations • S'informer sur les forces et les limites de l'enfant et sur ses préférences et ses aversions • Enseignement à l'enfant : – Répéter et imiter l'information – Stimuler tous les sens – Assurer la sécurité physique et émotionnelle – Permettre le jeu et la manipulation des objets
Jeune enfance Âge : 3-5 ans Stade cognitif : préopératoire Stade psychomoteur : initiative *vs* culpabilité	• Égocentrisme • Pensée : précausale (ne peut extrapoler), concrète, littérale et animiste (donne vie et caractéristiques humaines aux objets) • Croyance que la maladie est une punition • Perception limitée de la notion du temps • Craint la mutilation physique • Anxiété de séparation • Imagination fertile, enclin à la peur • Intérêt marqué pour le jeu	• Favoriser la participation active des parents • Favoriser un environnement sécuritaire et une proximité physique • Établir une alliance avec les parents • Fournir des informations détaillées • Réduire l'anxiété des parents : répondre aux questions et aux préoccupations • S'informer sur les forces et les limites de l'enfant et sur ses préférences et ses aversions • Adopter une approche calme et chaleureuse • Établir un climat de confiance avec les parents et l'enfant • Utiliser la répétition de l'information • Stimuler tous les sens de l'enfant • Expliquer simplement et brièvement ; utiliser le jeu, les dessins, les poupées et les toutous pour faciliter la communication avec l'enfant • Permettre la manipulation des objets • Encourager l'expression des perceptions et des émotions des parents et de l'enfant • Rassurer, donner rétroaction positive à l'enfant plutôt que de le blâmer

Stades	Caractéristiques du stade	Exemples de stratégies éducatives adaptées au stade du développement
Préadolescence Âge : 6-11 ans Stade cognitif : opératoire concret Stade psychosocial : conscient des talents et qualités *vs* sentiment d'infériorité	• Plus réaliste et plus objectif • Comprend la relation cause et effet • Capable d'un raisonnement inductif et déductif • Souhaite de l'information concrète • Comprend le sérieux et les conséquences de ses actions • Orienté vers l'immédiateté, le moment présent	• Encourager l'indépendance et la participation active dans les activités éducatives • Faire preuve d'honnêteté et ne pas utiliser la peur comme incitatif à l'action • Expliquer en utilisant la logique des idées • Allouer du temps pour répondre aux questions • Utiliser les analogies pour expliquer les processus • Utiliser le jeu et les modèles de rôle pour faciliter l'apprentissage • Favoriser les activités éducatives de groupe • Utiliser des outils d'expression concrets : le dessin, les poupées ou autres objets comparables, la peinture, les technologies audiovisuelles
Adolescence Âge : 12-19 ans Stade cognitif : opératoire formel Stade psychosocial : identité *vs* confusion des rôles	• Pensée abstraite et hypothético déductive • Peut construire sur les acquis • Raisonnement logique et comprend les principes scientifiques • Orienté vers le futur • Motivé par l'acceptation sociale • Accorde une grande importance aux « groupes de pairs » • Préoccupation personnelle intense : apparence et image de soi • Sentiment de vulnérabilité • Sentiment d'être invincible et immunisé contre les lois naturelles	• Établir la confiance et faire preuve d'authenticité • Tenir compte de l'agenda de l'adolescent dans la planification des interventions éducatives • Explorer les peurs et les préoccupations à l'égard des conséquences de la maladie • Repérer le foyer de contrôle : motivation intrinsèque ou motivation extrinsèque et en tenir compte dans le plan d'enseignement • Utiliser le soutien des pairs et l'enseignement de groupe • Utiliser la négociation pour un changement de comportement • Mettre un accent sur les détails • Rendre l'information ou le contenu de l'enseignement signifiant pour la vie de l'adolescent • Assurer la confidentialité et le caractère privé de l'intervention éducative ; respecter les valeurs de l'adolescent • Établir les responsabilités respectives et le mode de relation • Utiliser du matériel audiovisuel, le jeu de rôle, le contrat d'apprentissage et la documentation écrite • Permettre l'expérimentation et la flexibilité dans l'apprentissage des comportements de santé

Stades	Caractéristiques du stade	Exemples de stratégies éducatives adaptées au stade du développement
Jeune adulte Âge : 20-40 ans Stade cognitif : opératoire formel Stade psychosocial : intimité *vs* isolement	• Autonome et autodéterminé • Motivation intrinsèque • Peut analyser de façon critique • Autodéterminé dans les prises de décisions personnelles, occupationnelles et les rôles sociaux • Préfère l'apprentissage basé sur les compétences attendues	• Explorer les sources de motivation • Utiliser une stratégie de résolution de problèmes • Bâtir sur les acquis et sur l'expérience personnelle • Détecter les barrières et les facteurs de stress reliés à l'apprentissage et à l'adoption du comportement de santé • Mettre un accent sur l'application pratique des recommandations par le jeu de rôle et l'expérimentation • Encourager la participation active dans le processus enseignement-apprentissage • Respecter le rythme individuel et l'autodétermination • Reconnaître le rôle social du jeune adulte et le prendre en compte • Structurer l'intervention éducative
Adulte Âge : 41-64 ans Stade cognitif : opératoire formel Stade psychosocial : productivité *vs* stagnation	• Sentiment de réalisation personnelle • Préoccupations concernant les changements physiques • Exploration de modes de vie alternatifs • Réfléchit sur sa contribution à la famille et à la société • Remise en question des valeurs et des buts personnels • Questionnements sur les réalisations et les succès personnels • A confiance en ses capacités personnelles • Désir de modifier les aspects insatisfaisants de sa vie	• Mettre l'accent sur l'autonomie et le rétablissement de la vie normale • Explorer les sources de motivation à l'apprentissage des connaissances, des attitudes et des habiletés requises pour l'adoption du comportement de santé • Faire le point sur les expériences personnelles positives et les expériences négatives reliées à l'apprentissage • Repérer les sources potentielles de stress reliées à la « crise » du mitan de la vie et fournir les informations pertinentes qui y sont reliées • Repérer les sources de stress reliées aux problèmes de santé et fournir les informations et les enseignements qui y sont reliés • Retracer les barrières à l'apprentissage et à l'adoption des comportements de santé
Adulte âgé Âge : 65 ans et plus Stade cognitif : opératoire formel Stade psychosocial : intégrité *vs* désespoir	**Changements cognitifs** : • Baisse de : – capacité d'abstraction – capacité de traitement de l'information – mémoire à court terme • Augmentation de : – temps de réaction – anxiété • Centré sur les expériences passées	• Utiliser des exemples concrets (analogies) et des explications brèves • Bâtir sur les expériences personnelles • Fournir une information pertinente et signifiante pour la personne • Présenter un concept à la fois • Allouer du temps pour la réflexion (rythme de la personne) et pour la réminiscence • Utiliser la répétition et le renforcement de l'information • Éviter les tests écrits • Utiliser l'échange verbal et l'accompagnement (*coaching*) • Établir une structure pour aider la mise en mémoire et le rappel des informations

Stades	Caractéristiques du stade	Exemples de stratégies éducatives adaptées au stade du développement
	Déficits sensorimoteurs: – Audition – Vision – Champ visuel – Distorsion de la perception de la profondeur – Fatigue et perte d'énergie	• Parler lentement et clairement • Utiliser un bas timbre de voix et éviter de crier • Utiliser un support visuel lors de l'exposé oral • Se placer face à la personne pour lui parler • Minimiser les distractions et faire de courtes sessions d'enseignement en allouant des périodes de repos • Utiliser un éclairage doux, suffisant et sans éblouissement
	Changements psychosociaux: – Prend moins de risques – Apprentissage sélectif – Intimidé par l'enseignement-apprentissage formel	• Utiliser un fond blanc et un lettrage noir pour les écrits • Utiliser un gros lettrage et aérer le texte • Accroître les mesures de sécurité dans l'environnement physique des interventions éducatives • Adopter une approche plutôt informelle • Identifier les ressources de la personne (proches aidants, ressources matérielles) • Démontrer la pertinence du contenu d'enseignement proposé en fonction des habitudes de vie de la personne • Faire de l'activité éducative une expérience positive

2.5 ADAPTER L'INTERVENTION ÉDUCATIVE AU STYLE D'APPRENTISSAGE DE LA PERSONNE

Le style d'apprentissage est « un mode préférentiel par lequel le sujet aime maîtriser un apprentissage, résoudre un problème, penser ou, tout simplement, réagir dans une situation pédagogique » (Legendre, 2005, p. 1273).

Le style d'apprentissage est constitué de forces conscientes, d'un choix délibéré de la personne quant à ses façons de composer avec les situations d'apprentissage. L'éducateur doit tenter d'harmoniser les méthodes éducatives avec les préférences et les caractéristiques de la personne de façon à faciliter l'apprentissage. Pour ce faire, il doit comprendre en quoi consistent les styles d'apprentissage. Aucun style d'apprentissage n'est meilleur qu'un autre pour apprendre. Ainsi, plus l'éducateur démontre de la flexibilité dans le choix des méthodes et des outils éducatifs, plus il augmente la probabilité du succès de ses interventions (Kitchie, 2008).

Le style d'apprentissage est un concept important, mais il ne faut pas ignorer les autres facteurs qui ont une influence sur l'enseignement et l'apprentissage, tels la réceptivité à l'apprentissage (la motivation et la condition de santé physique et mentale de la personne), la capacité d'apprendre (habiletés cognitives) et les acquis de la personne (scolarité et niveau d'alphabétisation). Les styles d'apprentissage varient d'une personne à l'autre ainsi que les capacités d'apprendre. Le style d'apprentissage fait référence à la manière dont la personne traite l'information alors que les capacités concernent la quantité d'information et jusqu'à quel point la personne parvient à bien la traiter. Selon Thomson et Crutchlow (1993), l'apprentissage serait le résultat davantage de l'utilisation d'une variété de méthodes et d'outils éducatifs que d'une stricte association du choix d'une méthode avec un style particulier d'apprentissage.

Il existe généralement trois moyens permettant de déterminer le style d'apprentissage d'une personne : l'observation, l'entrevue et l'administration d'un instrument d'évaluation du style d'apprentissage. En observant l'apprenant en situation d'apprentissage, on peut établir le style d'apprentissage par sa façon d'acquérir ou de saisir l'information et de résoudre un problème. En entrevue, on peut simplement demander à la personne comment elle préfère apprendre et dans quel type d'environnement elle se sent le plus à l'aise pour ce faire. L'éducateur peut également utiliser différents outils d'évaluation du style d'apprentissage.

Il existe différents styles d'apprentissage et d'instruments d'évaluation. D'un point de vue scientifique, aucun n'est considéré comme étant plus valide qu'un autre. Chacun permet néanmoins de mieux connaître les caractéristiques de la personne en situation d'apprentissage et offre des repères pour la planification et pour l'application des interventions éducatives.

On devrait idéalement évaluer le style d'apprentissage à l'aide de différents instruments de mesure[19] afin d'éviter d'essayer de catégoriser le style d'apprentissage dans un modèle particulier qui ne traduit pas forcément le style d'apprentissage de la personne. Nous avons néanmoins choisi un exemple de modèle pour illustrer ce concept et fournir quelques repères pour le choix de stratégies éducatives adaptées aux styles d'apprentissage.

Le modèle choisi est celui de « l'apprentissage expérientiel » conçu par David Kolb (1984). Il est couramment utilisé dans le domaine de la santé et il a fait l'objet de nombreuses études. Ce modèle appartient à l'école de pensée des cognitivistes où l'apprentissage est défini comme étant un processus de traitement de l'information. Ainsi, de l'avis de Kolb, la personne fait son apprentissage par la découverte et l'expérience.

> L'expérience est d'abord vécue, puis conceptualisée, pour enfin servir de guide à de nouvelles expériences. Pour Kolb, l'apprentissage est la tâche centrale de la vie, un processus constant d'adaptation à l'environnement social et physique. L'apprentissage expérientiel intègre des facteurs à la fois cognitifs et socioaffectifs. Il concerne la créativité, la résolution de problèmes, la prise de décision, le changement d'attitudes, en somme tous les aspects de l'adaptation à la réalité. [...] il a pour finalité l'intégration des quatre modes d'apprentissage (ou d'adaptation) fondamentaux : ressentir, observer, réfléchir et agir (Legendre, 2005, p. 1274).

Le schéma ci-dessous illustre le modèle de Kolb.

19. Nous invitons les lecteurs à consulter les ouvrages spécialisés sur le sujet pour approfondir au besoin leurs connaissances dans ce domaine.

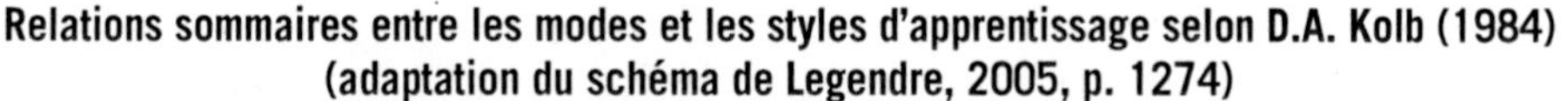
Relations sommaires entre les modes et les styles d'apprentissage selon D.A. Kolb (1984) (adaptation du schéma de Legendre, 2005, p. 1274)

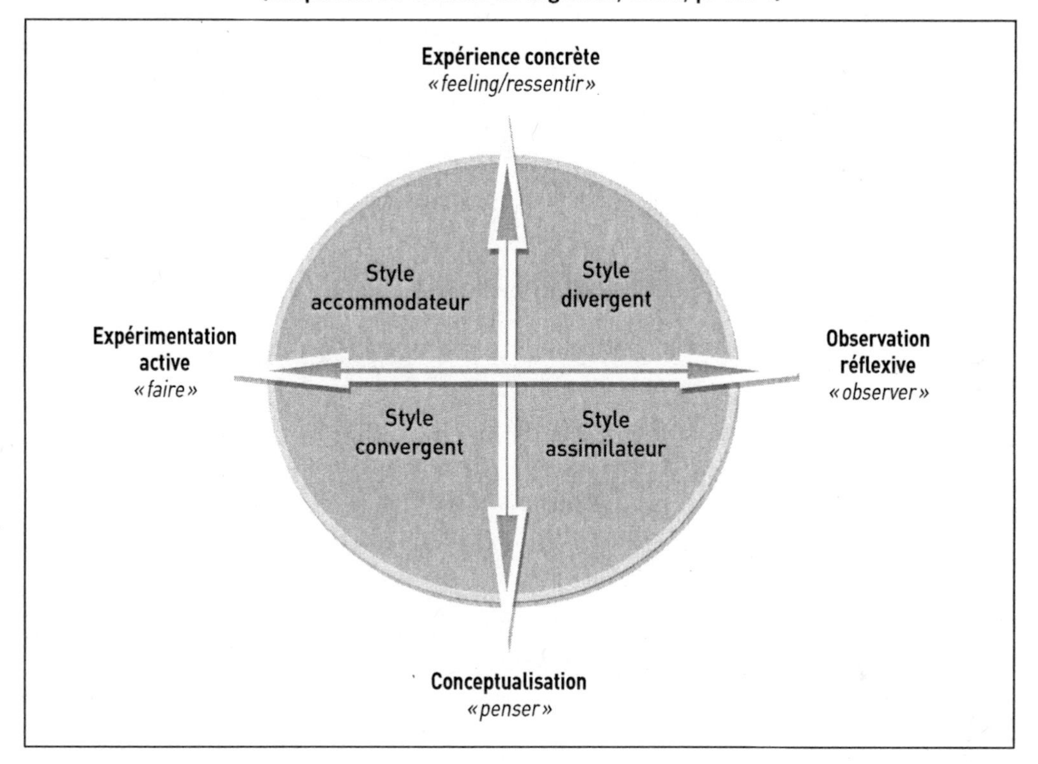

Le modèle de Kolb, connu comme étant le cycle de l'apprentissage, présente quatre styles d'apprentissage reflétant deux dimensions : la perception et le processus de traitement de l'information (Kitchie, 2008). La perception est un processus allant du concret à l'abstrait alors que le traitement de l'information est un processus allant de l'action à la réflexion. Rappelons ici que le style d'apprentissage fait référence à la préférence d'un individu quant à la façon d'apprendre. Les styles se manifestent de façons différentes pour percevoir et saisir l'information et pour traiter l'information. Ainsi une personne peut mieux percevoir à partir d'expériences vécues (expérience concrète) et une autre peut mieux percevoir à partir des principes ou des idées (conceptualisation). La perception de l'information à partir de l'expérience concrète repose davantage sur le ressenti, la sensation. Les personnes dans cette catégorie aiment être en interaction avec les autres, apprendre de leurs expériences et elles sont sensibles aux autres. À l'opposé, la perception à partir de la conceptualisation repose davantage sur une approche systématique et l'analyse logique pour résoudre des problèmes. Les personnes dans cette catégorie apprennent en pensant, en réfléchissant.

De la même façon, sur le processus du traitement de l'information, une personne peut traiter les informations en expérimentant lors d'une situation d'apprentissage (expérimentation active). Cette personne apprend par l'action, en « faisant ». Elle préfère influencer ou changer le cours des événements et constater les résultats. À l'autre extrémité du processus action-réflexion, la personne traite plutôt l'information en observant et en réfléchissant pendant la situation d'apprentissage (observation réflexive). Elle apprend en observant et en réfléchissant. L'apprentissage repose sur l'objectivité et le jugement. La personne cherche la signification des choses en considérant diverses perspectives.

Kolb décrit chacun des quatre styles d'apprentissage comme étant une combinaison des modes de perception et de traitement de l'information et en décrivant, pour chacun des styles, les forces et les faiblesses de l'apprenant.

Tentons dans un premier temps d'y voir plus clair en définissant sommairement chacun des quatre styles d'apprentissage. Nous verrons par la suite comment la description du style d'apprentissage de l'apprenant peut guider l'éducateur dans le choix de ses stratégies éducatives.

Définition des quatre styles d'apprentissage du modèle de Kolb (Legendre, 2005)

1. Le style accommodateur

La personne manifeste une plus grande disposition pour l'expérience concrète et l'expérimentation active : capacité d'adaptation aux circonstances qui changent, capacité de modifier un plan, de rejeter une théorie, attrait pour l'action, la réalisation, faire des plans, exécuter des tâches, participer à de nouvelles expériences, acceptation du risque, résolution de problèmes par essais et erreurs, tendance à se fier aux informations des autres plutôt que sur sa propre analyse, aisance avec les autres.

2. Le style divergent

La personne manifeste une plus grande disposition pour l'expérience concrète et l'observation réflexive : imagination, habileté à percevoir un objet selon différentes perspectives, conscience de la signification et des valeurs, capacité de synthèse, habileté à trouver un sens à des pièces éparses (d'où l'adjectif divergent), accent sur l'adaptation par observation plutôt que par action, réussite dans des situations qui font appel à des idées alternatives, intérêt porté aux personnes, importance accordée aux sentiments.

3. Le style convergent

La personne manifeste une plus grande disposition pour la conceptualisation et l'expérimentation active : préférence pour le raisonnement hypothético-déductif, facilité de résoudre les problèmes, plus particulièrement les problèmes dont la solution est unique (c'est pourquoi le style est appelé convergent), facilité d'application pratique des idées, contrôle de l'expression des émotions, préférence pour des tâches techniques plutôt que pour la participation à des controverses interpersonnelles ou sociales.

4. Le style assimilateur

La personne manifeste une plus grande disposition pour la conceptualisation et l'observation réflexive : préférence pour le raisonnement inductif, habileté à créer des modèles théoriques qui fournissent des explications intégrées de phénomènes disparates orientés davantage vers les idées et les concepts que vers les personnes, importance accordée au fanatisme plutôt qu'à l'utilité.

Kolb considère qu'une bonne compréhension du style d'apprentissage d'une personne, incluant ses forces et ses faiblesses, est un pas important pour augmenter le pouvoir de l'apprentissage et aider l'apprenant à tirer le maximum des expériences d'apprentissage. En utilisant une variété de stratégies éducatives visant les quatre styles d'apprentissage, certains modes d'apprentissage seront pris en compte au moins à quelques reprises et, de ce fait, le risque d'exclure des personnes sera d'autant diminué.

Dans le contexte de l'éducation à la santé, il n'est pas pratique courante d'évaluer le style d'apprentissage de la personne avant de lui offrir une activité d'apprentissage. L'éducateur peut par ailleurs utiliser les repères suivants lorsqu'il souhaite trouver le style d'apprentissage approprié (Kitchie, 2008) :

- Repérer quelques éléments clés du style d'apprentissage en observant la personne ou en lui posant quelques questions pour vérifier ses observations.

  Exemples de questions :

  - Est-ce qu'elle préfère un exposé ou un groupe de discussion ?
  - Qu'est-ce qu'elle aime le plus : visionner un film ou lire ?
  - Est-ce qu'elle préfère vous observer d'abord ou faire elle-même en même temps que vous ?

- Toujours offrir à la personne la possibilité de vous dire si une méthode ou un outil éducatif ne lui convient pas.
- Encourager la personne à prendre conscience de sa façon d'apprendre et à voir qu'il existe une variété de méthodes et d'outils d'apprentissage et qu'aucun style n'est meilleur qu'un autre.
- Éviter de dire que certaines méthodes éducatives sont toujours plus efficaces que d'autres pour certains styles d'apprentissage. Chaque personne est unique et certaines circonstances peuvent influencer la façon d'apprendre.
- Offrir un choix parmi les méthodes de façon à ce que la personne puisse le plus souvent apprendre de la manière dont elle préfère le faire.

Le but n'est pas de stéréotyper la personne selon un style d'apprentissage particulier, mais plutôt de s'assurer que chaque personne a une chance égale d'apprendre le mieux possible et de la façon la plus confortable possible.

ENCADRÉ 13

Le style d'apprentissage est « un mode préférentiel *via* lequel le sujet aime maîtriser un apprentissage, résoudre un problème, penser ou, tout simplement, réagir dans une situation pédagogique » (Legendre, 2005, p. 1273).

Aucun style d'apprentissage n'est meilleur qu'un autre pour apprendre. Ainsi, plus l'éducateur démontre de la flexibilité dans le choix des méthodes et des outils éducatifs, plus il augmente la probabilité du succès de ses interventions éducatives.

2.6 ADAPTER L'INTERVENTION ÉDUCATIVE AUX CARACTÉRISTIQUES CULTURELLES DE LA PERSONNE[20]

Avec l'accroissement de l'immigration et la diversification des pays d'origine des migrants, les professionnels de la santé ont de plus en plus souvent l'occasion d'exercer dans un contexte de sociétés pluralistes. Les changements démographiques et la diversité ethnoculturelle et linguistique des populations font partie de facteurs auxquels les institutions et les professionnels de la santé doivent s'adapter afin de fournir des services de qualité à l'ensemble de la population (Tse, Lloyd et Mc Kenna, 2006). Comprendre l'influence de la culture sur la santé et se familiariser avec les problématiques de santé-ethnicité et de santé-immigration sensibilise l'éducateur à l'importance d'adapter les programmes éducatifs ou les plans d'enseignement individualisés pour répondre aux besoins d'apprentissage des personnes de culture différente. Dans cette partie du manuel, après avoir défini la culture et rappelé son influence sur la santé, nous traiterons de considérations générales sur les compétences attendues dans l'exercice de la fonction éducative en santé en contexte interculturel.

20. Cette section a été écrite par Louise Bujold.

2.6.1 Définition de la culture

Objet d'expression discursive dans une langue donnée, la culture est une totalité complexe faite de normes, d'habitudes, de répertoires d'action et de représentation, acquise par l'homme en tant que membre d'une société (Warnier, 1999, p. 13). La culture est un facteur d'identification pour les groupes et les individus et de différenciation par rapport aux autres culturellement différents (Cuche, 2001; Warnier, 1999). Pour les membres du groupe, explique Warnier, elle remplit une fonction d'orientation dans la mesure où elle fournit des répertoires prêts à l'emploi qui permettent à l'individu d'agir conformément aux attentes du groupe. Les connaissances, les croyances, les attitudes et les pratiques concernant le corps, la santé et la maladie tiennent une place importante dans ces répertoires. En plus d'influencer la façon dont les individus perçoivent et interprètent les symptômes, ce bagage culturel permet d'accorder un sens à la perception de symptômes et de dysfonctions, aux interventions éducatives sanitaires, aux comportements jugés à risque ou de protection ou encore aux modes d'utilisation des ressources et des services de santé. Les croyances, les valeurs et les normes culturelles jouent par ailleurs un rôle déterminant dans les choix thérapeutiques et les comportements de santé, qu'ils soient préventifs, curatifs ou de réadaptation. Avec Massé (1995), il importe de souligner que cette influence particulière sur les comportements ne s'exerce cependant qu'une fois qu'elle est conditionnée et façonnée par les structures économiques, politiques et sociales qui définissent l'environnement de la personne. La mise en rapport du culturel avec ces autres déterminants de la santé ne doit donc pas échapper à l'éducateur.

Chacun a sa propre façon de s'approprier et de vivre la culture qui lui est transmise. En effet, chacun l'interprète, la construit et la reconstruit en fonction de stratégies diversifiées, selon les besoins et les circonstances. Ainsi, tout en étant profondément marqué par la culture, l'individu n'en est pas seulement le produit, il en est également l'acteur. La somme et les interactions de toutes les réinterprétations individuelles font évoluer la culture. Celle-ci évolue également au contact de groupes culturels différents qui exposent les groupes à d'autres références, d'autres habitudes, etc. Cela est de plus en plus évident depuis les années 1970, moment à partir duquel l'intensification des flux médiatiques, financiers, marchands et technologiques favorise une certaine mondialisation de la culture (Warnier, 1999).

La relation entre la culture et l'état de santé est complexe et déborde l'objet de ce manuel. (Pour approfondir ce sujet, le lecteur devra consulter des ouvrages plus spécialisés du domaine de l'anthropologie médicale.) La diversité culturelle est synonyme d'une diversité de conceptions de la santé et de systèmes de santé. Dans les sociétés occidentales, cinq éléments caractérisent la culture médicale : 1) le principe de rationalité scientifique, 2) les mesures objectives et les données physicochimiques, 3) le postulat de la dichotomie corps-esprit, 4) l'existence de la maladie (*disease*) en tant qu'entité et 5) l'approche individuelle plutôt que familiale (Gravel et Battaglini, 2000). Une conception plus holiste fondée sur des facteurs sociaux, culturels et psychologiques de la maladie caractérise d'autres systèmes de santé, comme ceux de la médecine ayurvédique ou de l'acupuncture, par exemple.

Davantage que l'origine ethnique, certains facteurs ou traits culturels (les valeurs, la religion, l'organisation sociale, etc.) permettent d'établir des liens avec les attitudes et les croyances relatives à la santé, en prescrivant par exemple des habitudes de vie et des styles de comportements favorables ou non à la santé et au bien-être, en offrant des formes de soutien moral, émotif ou économique aux membres du groupe, ou encore en proscrivant des comportements à risque pour la santé, voire en interdisant certains actes médicaux. Les comportements reliés à la prévention de la maladie, à la promotion et au maintien de la santé sont largement conditionnés par la perception des causes et des circonstances de la maladie. Certains groupes considèrent comme négligeables et sans conséquences des désordres que les membres de la société occidentale jugent sérieux (Massé, 1995). C'est dire que les interprétations, les explications de la maladie et ses traitements diffèrent d'une culture à l'autre et selon les types de médecine pratiqués. En plus des causes naturelles, les forces surnaturelles, le mauvais sort, le manquement à ses devoirs, la transgression d'interdits ou un déséquilibre d'humeur représentent des sources d'explications répandues. Ces facteurs étiologiques de même que des approches traditionnelles comme la prière, la confession publique, l'acupuncture, les remèdes homéopathiques, les herbes médicinales, etc., sont étrangers à la biomédecine. L'éducateur doit exercer un certain relativisme culturel et accepter l'autre comme détenteur de savoirs qui, pour être différents, n'en sont pas moins réels, pertinents et au moins équivalents aux connaissances acquises en Occident. En pratique, la reconnaissance de savoirs différents pose certains défis à l'éducateur en rapport notamment avec sa capacité à les intégrer dans l'élaboration et la mise en œuvre du programme éducatif.

Un autre exemple de différences culturelles concerne le désir des personnes de recevoir une information complète et détaillée au sujet du diagnostic et des risques et avantages des traitements proposés. L'autonomie, l'autodétermination et le droit à une information complète ainsi que la participation aux décisions et aux soins peuvent être des traits culturels des sociétés occidentales. Certains groupes culturels croient cependant que la personne doit être protégée contre la divulgation d'une information « négative » sur la condition de santé afin de préserver l'espoir et de la rendre ainsi plus apte à mettre l'accent sur la promotion d'une meilleure santé.

Bien qu'il soit partiel, ce survol souligne l'importance de tenir compte de la diversité culturelle dans la démarche éducative. Ici encore, il n'y a pas de recette magique ! Les experts considèrent qu'il est inutile – ce serait de toute façon impossible – d'apprendre tous les aspects de toutes les cultures que l'éducateur est susceptible de rencontrer dans sa pratique. En revanche, ils estiment que, dans les situations de soins, faire preuve d'ouverture et construire autour de similitudes dans la recherche de convergences seraient beaucoup plus avantageux qu'une approche axée sur les différences et la mise en place inconditionnelle de mesures qui favoriseraient une adaptation dite culturelle (Gravel et Battaglini, 2000).

2.6.2 Faire preuve de compétence culturelle en éducation à la santé

Le succès d'une relation éducative en contexte interculturel repose en grande partie sur une série de conditions préalables que plusieurs associent à la compétence culturelle. Ces conditions incluent : 1) le respect de la dignité et de l'autodétermination de la personne, de sa vision du monde, de son système de valeurs, de ses besoins ; 2) la reconnaissance de l'unicité et de la valeur intrinsèque de tous les individus ; 3) la tolérance face aux différences ; 4) l'établissement de rapports égalitaires entre le professionnel et le bénéficiaire des services de santé. L'éducateur démontrant une compétence culturelle reconnaît les différences culturelles et fait preuve de congruence dans ses attitudes et ses comportements. Il faut, pour y parvenir, que l'éducateur développe ses habiletés en communication interculturelle (Cohen-Emerique, 1993).

Les buts de la communication interculturelle visent à minimiser l'incertitude potentielle entre les acteurs et à établir une confiance mutuelle afin de créer un climat favorisant les échanges (voir la section 2.3.1.1). Pour qu'un partenariat s'installe entre l'éducateur et l'apprenant et sa famille, l'éducateur doit d'abord réaliser que ces derniers ne sont pas les seuls porteurs de culture et se reconnaître lui-même comme un être ayant sa propre culture. Les professionnels de la santé ont au moins deux cultures d'appartenance : une culture personnelle et une culture professionnelle. Sur le plan personnel, l'éducateur doit prendre en considération sa représentation d'autrui, son attitude à l'égard de la différence culturelle, ainsi que ses présupposés, ses préjugés, ses stéréotypes et son ethnocentrisme susceptibles d'intervenir dans la rencontre culturelle. De même, il doit être conscient qu'à travers son ancrage professionnel une certaine idéologie et des croyances fondées dans la théorie et la pratique véhiculent des représentations particulières de son rôle, de l'autre, des normes, des valeurs et des modes d'intervention. Ce décentrage (Cohen-Emerique) ou cette prise de conscience de ses propres cadres de référence permet d'apercevoir soi-même les différences et de reconnaître les zones sensibles que soulève la rencontre avec l'autre.

Ensuite, l'éducateur s'efforce de découvrir les cadres de références de l'autre et, sans nécessairement en accepter les prémisses et les aboutissements, tente de voir les choses selon la perspective de ce dernier (Cohen-Emerique, 1993). Apprendre à connaître l'autre demande une certaine curiosité envers ce dernier et nécessite de poser des questions, mais aussi d'être à l'écoute. Comprendre l'univers culturel d'une personne suppose de prendre le temps nécessaire et d'éviter de tirer des conclusions trop rapidement ou de porter des jugements ethnocentriques. Ce faisant, l'éducateur s'efforce de ne pas généraliser certaines caractéristiques d'un groupe culturel à tous les membres associés à ce groupe particulier et de ne pas réduire l'autre à sa culture. Au cours des rencontres, l'éducateur essaie plutôt de cerner ses modes de fonctionnement et l'importance qu'il accorde à divers aspects de sa vie pour en tenir compte dans la mise en œuvre de la démarche éducative. Il explore notamment les modèles explicatifs de la maladie de la personne, c'est-à-dire l'ensemble des croyances ou des conceptions qui visent à expliquer, pour un épisode donné de maladie, ses causes, ses manifestations, sa gravité mais aussi les thérapeutiques et les traitements potentiels qui permettraient d'y répondre (Kleinman, 1980, dans Massé, 1995). L'éducateur a ici l'occasion d'explorer les croyances relatives aux comportements de santé. Ces modèles permettent de comprendre le rôle des déterminants socioculturels dans l'analyse non seulement des comportements à risque pour la santé, mais également des comportements qu'il semble judicieux d'adopter. L'analyse des besoins de base, des besoins d'apprentissage en tenant compte des principaux facteurs socioculturels et de l'expérience de santé-maladie que vit la personne permet d'élaborer un plan d'enseignement individualisé plus adéquat en adaptant le contenu et en choisissant des stratégies et des outils éducatifs plus appropriés à sa réalité.

L'éducateur doit par ailleurs apprendre à négocier et à jouer un rôle d'intermédiaire entre les normes et les valeurs des professionnels de la santé et celles de la personne visée par l'intervention éducative (Massé, 1995). Cela suppose que les partenaires explicitent les différences qu'ils reconnaissent de part et d'autre, et surtout qu'ils cherchent les lieux communs, les points de convergence à l'égard des comportements de santé. En étant sensible aux raisons qui ont motivé la demande d'aide ainsi qu'aux valeurs que la personne de culture différente accorde à sa santé et à son bien-être, l'éducateur s'efforce d'établir des ponts entre les points de vue et tente de trouver un terrain d'entente sur lequel bâtir une relation de confiance mutuelle.

Les valeurs, nous l'avons vu (section 2.2.1), sont un élément de motivation à l'action. Une personne qui valorise la santé et le bien-être tend à avoir une disposition favorable à l'égard d'un comportement de santé. Bien qu'elles varient d'une culture à l'autre, toutes les sociétés « prescrivent » des comportements visant à maintenir la santé et à prévenir la maladie. Dans la culture inuite traditionnelle par exemple, les femmes enceintes adoptaient plusieurs pratiques préventives afin de connaître un accouchement facile et sans complication, en particulier concernant le cordon ombilical. Tout au long de leur grossesse, elles préparaient la séparation du corps maternel et du fœtus en dénouant tout lien sur leurs vêtements et chaussures et cessaient de tresser leurs cheveux. Ailleurs, dans le but d'avoir une naissance heureuse, les gestantes sont soumises à des interdits alimentaires qui persistent généralement jusqu'au sevrage de l'enfant, les premiers mois étant considérés comme une période de grande vulnérabilité. Ces pratiques préventives prennent leurs sens dans les croyances relatives aux causes des problèmes de santé (maladie), mais aussi dans la valorisation de la santé de l'enfant à naître, et demandent à être interprétées dans leur contexte culturel plus global. Le plus souvent, les personnes qui consultent les professionnels de la santé souhaitent améliorer leur qualité de vie et sont disposées à agir dans ce sens. Ainsi, tenir compte des valeurs que la personne de culture différente accorde à sa santé et à son bien-être ou aux siens permet d'explorer les comportements que celle-ci considère favorables à la santé. Par analogie, et en portant attention à la finalité des pratiques culturelles (préventives et curatives), l'éducateur pourra s'appuyer sur ces dernières pour trouver des compromis permettant de poursuivre une démarche éducative visant des objectifs communs. Intégrer d'autres façons de concevoir la santé et le bien-être améliore les chances de réussite des interventions éducatives.

En raison des barrières linguistiques et culturelles, il peut être nécessaire de recourir aux services d'un interprète formé à l'aspect culturel de la communication. Il importe de bien choisir cet interprète. Le recours aux interprètes informels (membre de la famille, proche, membre du groupe ethnique, employé de l'institution parlant la langue du bénéficiaire) n'est pas recommandé pour plusieurs raisons, comme la méconnaissance de la culture professionnelle ou de la terminologie, l'absence de neutralité et le triage de l'information donnée, la volonté de protéger le patient, le malaise devant l'expression d'informations intimes, le bouleversement des rôles lorsqu'un enfant sert d'interprète à son parent (Vissandjée et Dupéré, 2000). De plus, les interprètes informels ne sont pas tenus au secret professionnel. Une interprétation douteuse et non fidèle affecte la qualité de l'intervention éducative, alors que le recours aux interprètes officiels sensibilisés à la culture dominante et au fonctionnement des institutions de santé minimise les obstacles à la communication, les risques de malentendus et de distorsions tout en garantissant le respect de la confidentialité. L'éducateur recourt à ses services non seulement pour la traduction des messages, mais surtout pour construire une compréhension commune de la situation et favoriser l'établissement de ponts culturels et adapter ses interventions.

Au Québec, des organismes communautaires comme la Banque régionale d'interprètes linguistiques et culturels régionale (BRILC) offrent des services aux professionnels et aux institutions afin de faciliter l'égalité d'accès aux services de santé et aux services sociaux aux personnes qui ne connaissent pas suffisamment la langue ou la culture de la société québécoise. Travailler avec un interprète demande cependant une préparation et comporte certaines exigences dont les principales sont résumées dans le *Guide pour travailler avec un interprète* élaboré par le Centre international des femmes de Québec (2006) présenté ci-dessous[21].

---

21. Pour en connaître davantage sur ce sujet, le lecteur consultera Rosenberg dans Richard et Lussier (2005), chap. 20, p. 503-527.

TABLEAU 14
Guide pour travailler avec un interprète

QUOI FAIRE	POURQUOI
A. Avant la rencontre	
1. Lorsque vous fixez le rendez-vous, respectez dans la mesure du possible l'heure que vous aurez indiquée et, à moins de cas d'urgence, prévoyez un délai de 24 heures.	=> Pour s'assurer de la disponibilité d'un interprète formé et pour minimiser vos coûts (s'il y a lieu).
2. Expliquez brièvement la situation à l'interprète, le but de la rencontre et l'étape de l'intervention de façon aussi détaillée que possible.	=> L'interprète a besoin de se préparer (vocabulaire spécifique, préparation psychologique), donc de bien comprendre les enjeux pour bien interpréter le sens de ce qui sera véhiculé au cours de la rencontre.
B. Pendant la rencontre	
1. Présentez-vous au client (allophone), expliquez votre rôle puis présentez-lui l'interprète et informez-le de son rôle, de son impartialité et de la confidentialité des échanges.	=> Cela démontre au client que vous êtes la personne qui dirige l'interaction et vous aidez ainsi l'interprète à conserver sa neutralité.
2. Lorsque vous commencez les échanges, procédez ainsi : – organisez votre information ; – parlez lentement ; – donnez des informations en petites quantités (2 à 3 phrases à la fois) ; – faites de courtes phrases ; – utilisez des termes accessibles ; – prévoyez des pauses ; – observez le client ; – encouragez l'interprète à demander des explications supplémentaires si le message est peu clair.	=> Cela vous permettra d'effectuer votre travail de façon plus efficace. => De plus, l'interprétation, phrase par phrase (ou par courte étape), est plus sûre et réduit le risque d'omissions. => La position et le regard vers le client permettent que le client se sente le sujet principal de l'intervention. => L'interprète peut avoir besoin : – de vous demander des clarifications ; – de vous signaler une incompréhension présente chez le patient.
3. Attendez-vous à ce que l'interprète soit obligé d'utiliser parfois des périphrases pour interpréter certains mots qui n'existent pas dans l'autre langue. Il est aussi possible qu'il apporte un dictionnaire et qu'il prenne des notes.	=> Le fait que l'interprète soit parfois tenu d'élaborer un peu plus le contenu de l'information peut être normal, surtout dans le cas de langues très différentes du français. Cela ne signifie pas nécessairement un manque de compétence.
4. Ne déléguez pas votre responsabilité professionnelle. Vous êtes le maître de l'intervention. Ne chargez pas l'interprète d'expliquer quelque chose sans lui dire ce qu'il doit expliquer. Son rôle est d'interpréter.	=> Ce n'est pas le rôle de l'interprète d'expliquer à votre place une loi, un vaccin, un diagnostic, une posologie, un traitement ou un placement, même s'il sait le faire, mais c'est son rôle de transmettre vos informations.

QUOI FAIRE	POURQUOI
5. Ne demandez pas à l'interprète son opinion personnelle à propos du client et ne discutez pas avec l'interprète en présence du client.	=> Il est là pour interpréter ou vous donner son avis sur le plan culturel mais non sur ce qu'il pense de la sincérité du client ou de sa réputation. => Le client pourrait avoir l'impression qu'on décide de son sort sans le consulter.
C. Après la rencontre	
1. Raccompagnez vous-même le client à la porte en lui mentionnant que vous avez des documents à faire signer à l'interprète, sauf si l'interprète doit accompagner le client.	=> Il est important d'éviter l'échange de confidences et la demande de services additionnels risquant de porter atteinte à la neutralité de l'interprète.
2. Vérifiez avec l'interprète s'il a remarqué quoi que ce soit d'ordre culturel, que vous devriez savoir. S'il vous manque des informations culturelles, profitez de cette occasion pour les vérifier avec l'interprète.	=> L'interprète peut vous apporter des précisions d'ordre culturel vers la fin de la rencontre surtout si ces précisions exigeaient trop de temps pour être effectuées au cours de la rencontre, comme c'est parfois le cas.

Source : Centre international des femmes, Québec, 2006. [En ligne] : http://www.cifqfemmes.qc.ca/documents/guide_pour_travailler_avec_un_interprete_cifq.pdf.

Lorsque l'éducateur utilise du matériel écrit traduit, il doit veiller à ce que le niveau d'écriture corresponde à la langue et au niveau d'alphabétisation de la personne et voir à ce que les illustrations et les pictogrammes soient culturellement appropriés et qu'ils soient signifiants pour les personnes appelées à le décoder. Une bonne connaissance des ressources communautaires de son milieu est un atout certain pour l'éducateur. Il existe de nombreux organismes dédiés aux communautés ethnoculturelles en santé et en services sociaux. Ces organismes ont habituellement une bonne connaissance des besoins des personnes des communautés ethnoculturelles et certains d'entre eux ont conçu du matériel adapté à ces communautés.

Les personnes de culture différente ne s'attendent pas à ce que l'éducateur connaisse le patrimoine culturel de toutes les personnes auxquelles il fournit des soins. Elles s'attendent cependant – et sont en droit de les recevoir – à des services personnalisés et adaptés à leurs besoins. Au risque de nous répéter, le rôle de l'éducateur consiste à faciliter l'adoption volontaire de comportements favorables à la santé.

2.7 ADAPTER L'INTERVENTION ÉDUCATIVE AUX LIMITES DE LA PERSONNE : DEGRÉ D'ALPHABÉTISATION ET DE LITTÉRATIE EN SANTÉ, DÉFICITS COGNITIFS ET DÉFICITS SENSORIELS

Éduquer pour aider les personnes à acquérir une plus grande autonomie en matière de santé est en soi un rôle et un défi importants pour l'ensemble des professionnels de la santé. Exercer la fonction éducative auprès des personnes ayant diverses limites à l'apprentissage constitue un défi additionnel. Les limites peuvent être reliées au niveau d'alphabétisation ou à des déficits cognitifs ou sensoriels.

Dans la perspective du modèle PRECEDE-PROCEED, ces limitations peuvent être considérées comme étant des facteurs facilitant ou, à l'inverse, limitant l'adoption de comportements favorables à la santé. Lors des interventions éducatives, on doit dans la mesure du possible tenter de pallier ces déficits par divers moyens susceptibles de faciliter l'apprentissage des connaissances, des attitudes et des habiletés requises.

Dans cette partie du manuel, nous définissons la nature de chacune de ces limites à l'apprentissage et suggérons quelques moyens pratiques de les pallier lors des interventions éducatives

2.7.1 Pallier les limites reliées au niveau d'alphabétisation et de littératie en santé

La santé et l'apprentissage sont intimement liés et il existe une corrélation manifeste entre ces deux éléments, tout au long de la vie : plus le niveau d'instruction d'une personne et sa capacité de se renseigner sur la santé sont élevés, meilleure est sa santé (Conseil canadien sur l'apprentissage, 2007).

Il existe une très abondante documentation au sujet de l'alphabétisation et de la littératie en santé et de nombreux sites Web fournissent des informations et des connaissances des plus utiles. Aux fins de ce manuel de formation, nous nous limiterons à fournir quelques définitions permettant de mieux comprendre la nature du concept de l'alphabétisation et de la littératie dans le domaine de la santé. Nous présentons également quelques indices permettant d'identifier les personnes qui ont un problème d'alphabétisation et de littératie en santé. Nous décrivons finalement quelques moyens pour communiquer plus efficacement verbalement et par écrit avec ces personnes.

Définissons d'abord les termes. L'alphabétisation, la littératie et l'alphabétisme sont des termes généraux qui font référence à l'habileté, l'aptitude ou la compétence dans l'utilisation du code écrit : savoir lire, écrire et calculer. Dans l'usage courant des termes, l'*alphabétisation* est centrée sur le système scolaire d'enseignement et d'apprentissage alors que la *littératie* s'intéresse davantage aux usages sociaux de la langue et de la communication écrite (Legendre, 2005).

Mieux comprendre les termes : alphabétisation-alphabétisme *vs* littératie en santé

Alphabétisation-alphabétisme

L'alphabétisation, ou l'alphabétisme, fait référence à la capacité d'utiliser et de comprendre l'information fondamentale pour la vie au travail, à la maison et dans la collectivité, au quotidien (Conseil canadien sur l'apprentissage, 2007). Lors de l'Enquête internationale sur l'alphabétisation et les compétences des adultes (EIAA) en 2003, on a décrit l'alphabétisation en fonction des quatre compétences suivantes :

- *Compréhension de textes suivis* : connaissances et compétences nécessaires pour comprendre et utiliser l'information contenue dans des textes suivis ;
- *Compréhension de textes schématiques* : connaissances et compétences nécessaires pour repérer et utiliser l'information présentée sous diverses formes, comme des horaires, des cartes routières, des tableaux et des graphiques ;

- *Numératie* : connaissances et compétences nécessaires pour effectuer des calculs et comprendre les chiffres dans des documents écrits ;
- *Résolution de problèmes* : résolution de problèmes par la réflexion et l'action orientées vers un but, dans des situations pour lesquelles aucune solution de routine n'existe.

Les tâches conçues pour mesurer les capacités de lecture ont été classées selon leur degré de difficulté sur une échelle allant de 0 à 500 points. On a ensuite divisé cette échelle en cinq grands niveaux de capacités.

Le **niveau 1** désigne des capacités de lecture très faibles ; la personne peut, par exemple, avoir de la difficulté à déterminer, à partir des renseignements indiqués sur l'emballage, quelle dose exacte de médicament il faut donner à un enfant.

Au **niveau 2**, les répondants peuvent se servir seulement de textes simples, présentés clairement et dans lesquels les tâches à accomplir ne sont pas trop complexes. Cette catégorie est importante, car elle permet de déterminer quelles sont les personnes qui se débrouillent dans la vie quotidienne avec le peu de capacités de lecture qu'elles possèdent, mais qui auraient de la difficulté à s'adapter à un nouvel emploi qui nécessite un niveau supérieur d'alphabétisme.

Le **niveau 3** est considéré dans plusieurs pays comme un seuil minimal à maintenir, bien que certaines professions requièrent des capacités supérieures.

Aux **niveaux 4** et **5**, les capacités de lecture sont de plus en plus élevées, car le répondant doit pouvoir manipuler plusieurs sources d'information à la fois ou résoudre des problèmes plus complexes.

Littératie en santé

La littératie en santé est définie de différentes manières dans la documentation publiée aux États-Unis, au Canada, en Angleterre et en Australie. Elle réfère à la capacité d'une personne à accéder à des renseignements sur la santé et à les utiliser pour prendre des décisions appropriées et se maintenir en santé (Conseil canadien sur l'apprentissage (CCA), 2007).

Selon les résultats d'enquêtes récentes du CCA sur la littératie chez les adultes, on observe que plus de la moitié (60 %) des Canadiens adultes ne possèdent pas un niveau de littératie assez élevé pour bien comprendre la posologie de médicaments ou les consignes de sécurité qui leur sont données. Par ailleurs, la situation se détériore avec l'âge, mais aussi avec l'état de santé : plus on est malade et moins le niveau de littératie en santé est élevé. Le niveau de littératie en santé est le meilleur prédicteur de l'état de santé d'une personne. Il a été observé que les difficultés de lecture semblent avoir une influence sur l'observance, le respect des traitements, l'hospitalisation, la compréhension de la maladie et la compréhension du consentement aux soins (Richard et Lussier, 2005).

Une même personne est souvent appelée à lire et à comprendre une multitude de sources d'information en matière de santé et, conséquemment, à devoir prendre plusieurs décisions pour le maintien ou l'amélioration de sa condition de santé. Elle doit notamment posséder des capacités de lecture et de compréhension dans les divers aspects suivants qui constituent le domaine de la littératie en santé (CCA, 2007) :

Promotion de la santé : la capacité d'améliorer et de maintenir sa santé en repérant et en utilisant l'information sur la santé figurant dans les magazines et les brochures ou dans les tableaux ou sur les étiquettes de sécurité des aliments ou des produits, en vue d'établir un programme d'exercices ou d'acheter des aliments sains.

Protection de la santé : la capacité de protéger la santé individuelle ou collective en lisant des articles de journaux, des publications sur la santé et la sécurité ou des rapports sur la qualité de l'air ou en participant à des référendums afin de faire des choix.

Prévention des maladies : la capacité de prendre des mesures préventives et de procéder à une détection précoce en comprenant les alertes liées à la santé diffusées à la télévision ou dans les journaux ainsi que les résultats de tests présentés dans des lettres afin de cerner les risques, de se soumettre à des tests de dépistage ou de diagnostic et d'assurer le suivi des traitements.

Soins de santé : la capacité de solliciter des soins et de former des partenariats avec les fournisseurs de soins de santé, comme être en mesure de remplir des questionnaires sur ses antécédents médicaux, de suivre le mode d'emploi accompagnant les médicaments ou de comprendre les avantages des diverses formes de traitement et d'en discuter avec un professionnel de la santé.

Compréhension du système : la capacité de déterminer les services de santé requis et d'y avoir accès en remplissant des formulaires de demande, en lisant des cartes pour localiser les établissements appropriés ou en comprenant les programmes de prestations de maladie.

Il n'est évidemment pas du ressort de l'éducateur à la santé de hausser le niveau d'alphabétisation des personnes qui sollicitent ses services. Il doit par ailleurs aider efficacement les personnes ayant un niveau peu élevé d'alphabétisation ou de littératie en santé afin que celles-ci puissent profiter au maximum des apprentissages offerts et des outils éducatifs visant à faciliter l'adoption volontaire de comportements favorables à la santé.

Les personnes faiblement alphabétisées ont souvent honte de ne pas savoir lire et écrire comme elles le devraient. Il leur est souvent difficile d'admettre qu'elles ont un problème. Tout ce qui attire l'attention sur leur problème d'alphabétisation, même lorsque cela part d'une bonne intention, peut accentuer leur sentiment de honte. On risque alors de les décourager encore plus de demander l'aide dont elles ont besoin. Comment alors repérer ces personnes et comment communiquer efficacement avec elles ?

Reconnaître les personnes ayant un faible niveau d'alphabétisation et de littératie en santé

Il est important de reconnaître les personnes qui ont des difficultés à lire et à comprendre l'information transmise lors des interventions éducatives afin d'adapter les méthodes et les outils éducatifs à leur niveau d'alphabétisation et de littératie en santé. Les apparences sont parfois trompeuses. Le niveau de scolarité de la personne ne reflète pas nécessairement sa capacité de lecture. Les personnes adultes lisent en moyenne entre 3 et 5 degrés inférieurs à leur niveau de scolarité (Osborne, 2001).

Voici quelques exemples d'indices pouvant aider l'éducateur à repérer les personnes qui ont des difficultés de lecture (Bastable, 2008) :

- La personne réagit aux situations d'apprentissage en se retirant ou en évitant de participer ;
- La personne utilise des excuses comme la fatigue, la non-disponibilité, être trop malade ou étant trop sous l'influence des médicaments pour porter attention à la documentation écrite qui lui est remise ;
- La personne affirme ne simplement pas avoir le goût de lire et avoir remis la documentation à son conjoint ou sa conjointe ou à un proche, ou encore avoir perdu ou oublié le document ;
- La personne camouffle son manque d'habileté à la lecture en insistant pour apporter le document à la maison ou en se faisant accompagner d'un membre de la famille lorsqu'il s'agit de recevoir des documents écrits ;
- La personne vous demande de lire l'information pour elle, prétextant que sa capacité visuelle est limitée, ou avouant un manque d'intérêt ou un manque d'énergie pour apprendre ;
- La personne semble confuse, tient des propos hors contexte, tient les documents à l'envers ;
- La personne démontre un sentiment de frustration et de fatigue lorsqu'elle tente de lire : balbutie, décode incorrectement les mots, montre des signes faciaux de confusion ou de défaitisme ;

- La personne ne pose aucune question à propos de l'information qui lui est remise.

Comment l'éducateur peut-il communiquer efficacement avec ces personnes lors des interventions éducatives ? On reconnaît que la communication des informations relatives à santé dépasse souvent la capacité des personnes de les comprendre. Ce manque d'habileté à comprendre les directives ou les informations menace directement la sécurité des personnes (Stonecypher, 2009). Dans la partie qui suit, nous vous présentons quelques moyens pratiques permettant de pallier le mieux possible les limites reliées au niveau d'alphabétisation et au niveau de littératie des personnes.

Communication verbale avec les personnes ayant un faible niveau d'alphabétisation et de littératie en santé

L'éducateur peut utiliser diverses stratégies pour faciliter la communication avec les personnes peu alphabétisées. Voici quelques exemples (inspirés d'Osborne, 2001) :

Planifier ce que vous avez à dire :

- Présenter l'information selon un ordre logique ;
- Enseigner une étape à la fois en décrivant clairement chacune (exemple : je vais vous enseigner comment reconnaître qu'il y a trop de sucre dans votre sang. Voici trois signes que vous devez reconnaître. Le premier signe est...) ;
- Utiliser constamment la même terminologie (exemple : trop de sucre ou manque de sucre dans le sang et non glycémie trop élevée ou glycémie trop basse) ;
- Définir les termes nouveaux : par exemple lorsque le terme « bronchodilatateur » est utilisé pour la première fois, enseigner comment le prononcer, expliquer son action et démontrer comment l'utiliser ;

- Utiliser la répétition pour renforcer l'information : s'assurer que la personne possède l'information de base avant d'introduire des idées nouvelles. Revenir sur le contenu précédent avant de présenter le nouveau matériel ;
- Renforcer le contenu verbal avec des outils éducatifs écrits à être utilisés à la suite de l'échange verbal. Encourager la personne à partager l'information avec des proches ;
- Vérifier la compréhension (technique du *teach-back*) : s'assurer d'une compréhension commune du contenu enseigné. Reformuler au besoin dans ses propres mots.

Communication écrite avec les personnes ayant un faible niveau d'alphabétisation et de littératie en santé

La documentation écrite remise aux personnes lors des interventions éducatives doit être adaptée à un niveau minimal d'alphabétisation. Il importe donc de tester le matériel écrit avant de l'utiliser afin d'évaluer jusqu'à quel point le contenu sera compréhensible pour les personnes concernées. Pour ce faire, différentes formules permettent de mesurer le niveau de lisibilité du contenu d'un texte. Parmi ces formules, il y a le Simple Measure of Gobbledygook (SMOG). Ce test simple et valide a été conçu par G.H. Mc Laughlin en 1969. Il est couramment utilisé dans le domaine de l'éducation à la santé. Il indique le niveau approximatif de scolarité dont une personne a besoin pour être en mesure de comprendre un texte donné. Cette mesure estime le niveau de scolarité requis avec un niveau de précision de plus ou moins un an et demi.

Le test SMOG consiste à prendre des groupes de mots dans un texte, puis à calculer le nombre de syllabes à l'aide d'une formule simple. On peut l'utiliser pour réduire le nombre de mots comptant au moins trois syllabes car les mots courts sont plus faciles à lire. Il s'agit de simplifier les mots techniques et de modifier la grammaire. Nous présentons ci-dessous la méthode de calcul du score SMOG :

La formule SMOG

G.H. Mc Laughlin, 1969, dans Bastable, 2008

1. Choisir 30 phrases dans un texte (dix phrases consécutives au début, dix au milieu et dix à la fin).

2. Entourer tous les mots contenant au moins trois syllabes (divisez chaque mot par le nombre de sons séparés qui le forment pour découvrir combien il contient de syllabes). Par exemple, le mot éducation en a quatre : é / du / ca / tion et santé en a deux : san / té. Entourer tous les mots, même si un même mot se présente plusieurs fois. Les mots avec un trait d'union sont considérés comme étant un seul mot. Compter également les noms propres. Si un nombre est inscrit en chiffres, compter les syllabes de prononciation du nombre.

3. Additionner le nombre total de mots de trois syllabes ou plus.

4. Trouver le score SMOG en calculant la racine carrée de ce nombre ou du nombre le plus près et additionner toujours 3 à ce nombre : par exemple si le nombre de mots de 3 syllabes ou plus est 49, la racine carrée est 7. En additionnant 7 + 3 = 10, ce nombre devient le score SMOG signifiant qu'il faut approximativement une scolarité de dix années pour être en mesure de lire et de comprendre le texte.

Si le texte a moins de 30 phrases, suivre les étapes suivantes :

a. Compter tous les mots polysyllabiques et le nombre de phrases dans le texte.

b. Repérer dans la table de conversion, pour les textes de moins de 30 phrases, le nombre de phrases comptées dans le texte.

c. Multiplier le nombre de mots polysyllabiques par le nombre de conversion correspondant dans la table de conversion 2.

d. Repérer le nombre déterminé en c dans la ligne du nombre de mots polysyllabiques du tableau de conversion 1 pour obtenir le score SMOG correspondant.

Exemple : si un texte contient 20 phrases et 12 mots de trois syllabes ou plus, le nombre correspondant dans le tableau de conversion pour 20 phrases est 1,5. Multiplier le nombre de mots (12) par 1,5 pour obtenir le chiffre 18. Pour le nombre de 18 mots polysyllabiques dans le tableau de conversion 1, le score SMOG correspondant est 7. Ainsi le texte analysé correspond à un niveau de scolarité de ± 7 ans.

Les tableaux de conversion ci-dessous indiquent le score SMOG, soit le nombre approximatif d'années de scolarité (précision ± 1,5 an) dont une personne a besoin pour lire et comprendre le texte évalué. Un score de 10 ou moins donne un texte que la plupart des gens peuvent lire et comprendre. Plus une personne éprouve de la difficulté à lire et à comprendre un texte, plus le score SMOG du texte devrait être le plus bas possible.

TABLEAU 15

Conversion 1 – Score SMOG pour les textes de 30 phrases ou plus

Nombre de mots de trois syllabes ou plus	211-240	183-210	157-182	133-156	111-132	91-110	73-90	57-72	43-56	31-42	21-30	13-20	7-12	3-6	0-2
Score SMOG Niveau approximatif de scolarité (± 1,5 an)	18	17	16	15	14	13	12	11	10	9	8	7	6	5	4

TABLEAU 16

Conversion 2 – Score SMOG pour les textes de 30 phrases ou moins

Nombre de phrases dans le texte	Nombre de conversion
29	1,03
28	1,07
27	1,1
26	1,15
25	1,2
24	1,25
23	1,3
22	1,36
21	1,43
20	1,5
19	1,58
18	1,67
17	1,76
16	1,87
15	2,0
14	2,14
13	2,3
12	2,5
11	2,7
10	3

Il est démontré que les personnes retiennent davantage l'information lorsque celle-ci est écrite à un niveau plus bas que le niveau moyen de la capacité de lecture des personnes. Il serait donc indiqué de concevoir des outils éducatifs dont le niveau de complexité correspond à un niveau de scolarité peu élevé, soit plus ou moins 6 années (Osborne, 2001). Lorsque l'éducateur utilise des outils éducatifs à l'intention des personnes peu alphabétisées, il doit également adopter des moyens pour adapter le matériel éducatif. Voici quelques exemples (inspirés de Stonecypher, 2009, et Osborne, 2001):

- La page couverture du matériel éducatif écrit doit attirer l'attention.
- Personnaliser le matériel éducatif en inscrivant le nom de la personne concernée.
- Rédiger le contenu dans un ordre logique : réduire le contenu à l'essentiel de ce que la personne a besoin d'apprendre. Présenter un seul message dans un court document et y inclure, dans un ordre logique, pas plus de trois à cinq aspects essentiels à connaître ou à maîtriser. Indiquer clairement chacun des aspects avec un titre.
- Rédiger les titres et sous-titres à la première personne du singulier (exemples : Comment puis-je contrôler le sucre dans mon sang ? Comment dois-je utiliser mes pompes pour mieux respirer ? Comment puis-je pendre soin de mon cœur ?).
- Présenter l'information en termes positifs : ce que la personne « doit faire » plutôt que ce qu'elle « ne doit pas faire ».
- Utiliser le moins de mots possible pour transmettre le message.
- Utiliser des points de forme (puces) pour simplifier et aérer la présentation du contenu du texte.
- Utiliser des termes simples et communs, de courts paragraphes et éviter les termes trop techniques et le jargon médical.
- Utiliser de grands espacements de lignes et de paragraphes pour réduire le risque de confusion.
- Utiliser de gros caractères (12-14 points) de couleur noire pour faciliter la lecture.
- Attirer l'attention sur les points essentiels de l'information en encerclant, en surlignant ou en utilisant des flèches.
- « Une image vaut mille mots » : utiliser des illustrations, des graphiques et des pictogrammes pour présenter le contenu de l'information.

ENCADRÉ 14

L'alphabétisation, ou l'alphabétisme, fait référence à la capacité d'utiliser et de comprendre l'information fondamentale pour la vie au travail, à la maison et dans la collectivité, au quotidien (Conseil canadien sur l'apprentissage, 2007).

La littératie en santé est la mesure dans laquelle une personne est capable d'obtenir, de traiter et de comprendre l'information de base sur la santé et les services dont elle a besoin pour prendre des décisions éclairées sur sa santé (Conseil canadien sur l'apprentissage, 2007).

Éduquer les personnes dans le but d'accroître l'autonomie en matière de santé représente en soi un défi de taille pour l'éducateur. Le défi est encore plus grand lorsqu'il s'agit d'aider les personnes aux prises avec certains déficits cognitifs ou sensoriels limitant la capacité d'acquérir les connaissances et les habiletés requises à l'adoption de comportements favorables à la santé (habitudes de vie et autosoin). Certains déficits, tel le déficit cognitif (diminution de la mémoire, de la vigilance et de l'attention), sont généralement associés au processus de vieillissement ou de la maladie aiguë ou de la maladie chronique et parfois aussi aux complications de certains problèmes de santé. Ils peuvent aussi être associés aux effets secondaires d'une médication. Comment l'éducateur peut-il alors adapter les interventions éducatives pour pallier le plus possible les différents déficits ? Aux fins de ce manuel, nous présentons quelques exemples de stratégies éducatives pouvant aider à pallier les déficits les plus fréquents chez la personne adulte. Les lecteurs sont invités à consulter des ouvrages plus spécialisés pour approfondir leurs connaissances sur les caractéristiques des déficits et sur des moyens plus sophistiqués pour les pallier.

2.7.2 Pallier les limites reliées aux déficits cognitifs

Les déficits cognitifs sont le plus souvent reliés à une altération du tissu cérébral à la suite d'un traumatisme crânien ou d'un accident vasculaire cérébral. Ils peuvent aussi être reliés à une maladie dégénérative telles la sclérose en plaques et la démence. La nature et la sévérité du déficit déterminent dans quelle mesure les interventions éducatives s'adresseront à la personne atteinte ou aux membres de sa famille ou à ses proches. La capacité des personnes à utiliser leurs fonctions cognitives dans la vie quotidienne peut être reliée à des déficits particuliers, telles l'attention et la mémoire. Certains déficits peuvent affecter la capacité de perception, de compréhension, de rétention et de résolution de problèmes. La sévérité du déficit cognitif est proportionnelle à la sévérité de l'atteinte cérébrale (Fleming et Ownsworth, 2006).

L'attention et la concentration sont des habiletés cognitives. L'attention concerne plus particulièrement la perception des stimulus de l'environnement. Elle filtre les stimulus pertinents et rejette ceux qui ne le sont pas. L'attention est une habileté nécessaire pour le traitement de l'information et la mise en mémoire. Un trouble de l'attention est présent quand la personne manifeste une lenteur dans le traitement de l'information, surtout quand plusieurs stimulus sont présentés simultanément. Il existe différentes taxonomies pour classifier divers types d'attention (Johnstone et Stonnington, 2001). On y retrouve notamment la classification suivante : (traduction libre) 1. Attention exclusive (*focused attention*) ; 2. Attention soutenue (*sustained attention*) ; 3. Attention sélective (*selective attention*) ; 4. Attention alternante (*alterning attention*) ; 5. Attention divisée (*divided attention*). Le tableau 17 ci-dessous présente une brève définition de ces cinq types d'attention selon la taxonomie de Johnstone et Stonnington, les caractéristiques des déficits reliés et la description de stratégies éducatives adaptées (inspiré de Fleming et Ownsworth, 2006).

TABLEAU 17

Déficits selon les types d'attention et stratégies éducatives pertinentes

Types d'attention	Déficits reliés	Stratégies éducatives
Attention exclusive (*focused attention*) Habileté à percevoir et à répondre à un stimulus sensoriel particulier	• Réduction de l'éveil • Réduction de la vigilance	• Choisir un contenu éducatif pertinent et signifiant pour la personne concernée • Assurer un environnement sans distraction • Solliciter l'attention de la personne • Renforcer la participation à l'activité éducative
Attention soutenue (*sustained attention*) Fait référence à la vigilance, soit la capacité de maintenir une attention soutenue pendant un certain temps durant une activité	• Réduction de la durée d'attention ou durée variable de l'attention pendant une activité	• Adapter la durée de l'intervention éducative à la capacité d'attention de la personne • Solliciter l'attention lorsqu'il y a errance • Planifier des pauses • Varier le type des activités éducatives
Attention sélective (*selective attention*) Capacité de ne pas se laisser distraire par d'autres stimulus internes (pensées, inquiétudes) ou externes (bruit, activité)	• Réduction de la capacité de concentration sur une activité	• Éliminer les distractions • Assurer un environnement calme, sans distraction • Solliciter l'attention de la personne avant de commencer l'activité éducative • Répéter les consignes et l'information
Attention alternante (*alterning attention*) Capacité de focaliser l'attention sur des aspects variés d'une tâche ou sur différentes tâches cognitives (nommer, expliquer, résoudre)	• Blocage sur une seule tâche en négligeant les autres ou commencer une tâche sans la terminer et en omettant d'y retourner	• Réduire ou éliminer les tâches alternatives ou stimulus qui sollicitent l'attention de façon concurrente (exemple : demander de lire et d'exécuter un procédé technique ou d'écouter et de prendre des notes simultanément)
Attention divisée (*divided attention*) Plus haut niveau d'attention : capacité de conjuguer avec deux ou plusieurs stimulus à la fois et de réagir à chacun (exemple : capable d'observer une démonstration et de l'imiter et de décrire les étapes)	• Incapacité de faire deux choses en même temps (exemple : parler et exécuter)	• Réduire ou éliminer l'addition de tâches ou de stimulus qui sollicitent l'attention de façon concurrente (exemple : demander à la personne de lire et d'exécuter un procédé technique ou d'observer et d'imiter simultanément) • Assurer qu'il n'y ait pas de distraction lors des interventions éducatives (exemple : téléphone, télévision, autre personne)

La perte de mémoire constitue également un déficit cognitif courant. La mémoire n'est pas une fonction cognitive unique, mais plutôt un processus impliquant une interaction entre l'attention, l'encodage, la mise en mémoire et le rappel de l'information (Fleming et Ownsworth, 2006).

- L'attention consiste à percevoir un stimulus (exemple : porter une attention à des mots et à des consignes d'une technique de soin lors d'un enseignement).
- L'encodage consiste à traiter l'information (exemple : représenter mentalement une image à partir des mots et des consignes formulées verbalement ou par écrit, attribuer une signification aux mots ou aux consignes fournies).
- La mise en mémoire de l'information est la phase transitoire de stockage à plus ou moins long terme (exemple : garder en mémoire les mots ou les termes utilisés et les consignes fournies).
- Le rappel fait référence à la capacité de retrouver ou de reconnaître l'information mise en mémoire depuis un certain temps (exemple : se remémorer le contenu d'un enseignement ou les étapes et les consignes d'une technique de soin).

La performance de la mémoire peut se manifester à l'une ou l'autre des phases du processus de mémorisation. Les fonctions de la mémoire peuvent être classifiées de la façon suivante :

- La mémoire à court ou à long terme ;
- La mémoire sensorielle (visuelle ou auditive) ;
- La mémoire déclarative : mémoire des connaissances, des informations ;
- La mémoire procédurale : mémoire des habiletés.

L'atteinte d'un type de mémoire ou sa conservation dépend de la nature de l'affection neurologique et de son emplacement. L'âge influence également la capacité de traitement de l'information et de mémorisation et l'éducateur doit prendre en compte les particularités de divers groupes d'âge lors des interventions éducatives (Lowenstein et Reeder, 2009). On reconnaît par exemple que les jeunes adultes focalisent davantage sur les aspects perceptuels et sémantiques des événements, alors que les personnes adultes focalisent davantage sur les aspects personnels et interpersonnels des événements : leur état d'esprit, les pensées, les émotions ressenties dans une situation donnée, les sentiments à l'égard d'un événement, comment les autres personnes se sentent dans la même situation. Ainsi, les problèmes de mémoire reliés à l'âge peuvent être en partie le résultat de perceptions différentes et d'attention sélective plutôt qu'être un déficit cognitif.

Quoi qu'il en soit, il existe divers moyens simples, concrets et utiles permettant d'adapter les interventions éducatives pour les personnes qui ont des déficits ou des problèmes au niveau de la mémoire. Nous vous proposons ici quelques exemples (Wilson et Moffat, 1992 ; Burke et collab., 1994 ; Kim et collab., 2000 ; Lowenstein et Reeder, 2009) :

a. Simplifier et réduire la quantité d'informations dont la personne devra se souvenir.

b. Vérifier la compréhension des informations transmises : inviter la personne à reformuler, à dire dans ses propres termes le contenu enseigné, à paraphraser, à répéter l'information.

c. Relier l'information nouvelle à l'information acquise et, s'il y a lieu, aux activités quotidiennes ou aux habitudes de vie de la personne.

d. Structurer, organiser logiquement le contenu de l'information.

e. Offrir des activités éducatives de courte durée.

f. Solliciter plusieurs sens en utilisant divers outils éducatifs pour faciliter la rétention : des dépliants concis, la démonstration, la pratique, la vidéo, des images, des graphiques, etc.

g. Minimiser les distractions de l'environnement, focaliser sur un aspect à la fois.

h. Offrir des aide-mémoire pour faciliter le rappel de l'information : des listes, des moyens de rappel, le journal de bord ou carnet de note, etc.

2.7.3 Pallier les limites reliées aux déficits sensoriels

Les déficits sensoriels concernent les cinq sens : l'ouïe, la vue, le toucher, l'odorat et le goût. Nous mettrons ici l'accent sur les déficits auditif et visuel parce qu'ils sont les plus courants et que ce sont ceux qui ont le plus de conséquences sur la capacité d'apprentissage.

a) Pallier un déficit auditif

Un déficit auditif est un terme utilisé pour décrire tout type de perte auditive qui peut être partielle ou totale, congénitale ou acquise. La prévalence des déficits auditifs est généralement plus élevée chez les enfants et les personnes âgées. Quel que soit le degré de la perte, toutes les personnes qui en sont atteintes doivent faire face à des barrières à la communication qui interfèrent avec les efforts déployés pour l'enseignement et l'apprentissage (Viggiani, 2009). L'éducateur doit en conséquence utiliser des moyens adéquats afin de pallier ces limites pour pouvoir communiquer le plus efficacement possible avec ces personnes. Celles-ci peuvent cependant avoir des habiletés et des besoins variés selon le type de surdité et sa durée. Les personnes sourdes depuis leur naissance n'ont pu bénéficier de l'apprentissage du langage verbal. Ainsi, elles peuvent rarement parler avec un langage facilement compréhensible et plusieurs ont des capacités limitées pour la lecture et le vocabulaire. Elles communiquent le plus souvent avec le langage des signes ou la lecture sur les lèvres.

Voici sommairement quelques moyens utiles pour communiquer plus efficacement avec les personnes ayant un déficit auditif (Viggiani, 2009 ; Hickson, 2006) :

- Demeurer naturel, être soi-même, en présence de la personne ;
- Utiliser des phrases simples ;

- Allouer le temps nécessaire à la personne pour traiter l'information ;
- S'assurer d'avoir l'attention de la personne en lui touchant légèrement le bras avant de lui adresser la parole ou des signes ;
- Se placer face à la personne et au plus à deux mètres de distance de celle-ci ;
- Demander à la personne quelles sont ses préférences sur la façon de communiquer : le langage des signes ? les écrits ? la lecture sur les lèvres ? le matériel visuel ? ;
- Bien que la communication par signaux visuels (gestuelle des mains ou expression faciale) soit la méthode la plus simple, ce mode de communication n'est pas le plus approprié pour de longues périodes d'enseignement. Utiliser en complément des moyens visuels variés ;
- Au besoin, faire appel à un membre de la famille ou à un ami de la personne qui connaît le langage des signes pour assurer la communication entre l'éducateur et la personne. Laisser cependant la personne choisir elle-même l'interprète et respecter le droit à la confidentialité des propos ;
- Lorsqu'un interprète est présent, l'éducateur doit se tenir à ses côtés et maintenir un débit verbal normal en gardant un contact visuel direct et constant avec la personne ;
- La capacité de lecture sur les lèvres n'est pas acquise chez toutes les personnes. Il faut avoir développé cette habileté. Si la lecture sur les lèvres est utilisée, il n'est pas nécessaire d'exagérer le mouvement des lèvres parce que cette action peut causer une distorsion et influencer l'interprétation des mots. S'assurer d'un bon éclairage sur le visage de l'éducateur et éliminer toutes formes de barrières à la visualisation des lèvres, tels un crayon, les mains et, évidemment, un masque chirurgical. Ajouter, en complément du langage des signes, du matériel écrit pour accroître la communication avec la personne ;
- Le matériel écrit devrait présenter les qualités suivantes :

- être adapté au niveau d'alphabétisation de la personne ;
- être rédigé sous forme très concise, avec consignes et directives ;
- présenter des formes visuelles simples : des images, des graphiques, des schémas, des modèles pour résumer l'information et la rendre plus facilement compréhensible.

Valider de façon non menaçante l'apprentissage chez la personne : solliciter et fournir une rétroaction sur le contenu enseigné selon le domaine et le niveau d'apprentissage visés en ayant pour repères les objectifs d'apprentissage et les verbes d'action utilisés, mais en adaptant l'observation du résultat attendu au contexte de l'intervention. À titre d'exemple, la personne peut être incapable de dire dans ses mots qu'elle a compris un procédé de soins, mais, à l'aide de moyens visuels, elle pourrait indiquer les liens entre certains aspects de contenu et démontrer les actions attendues.

b) Pallier un déficit visuel

Un déficit visuel est défini comme étant une forme et un degré variable de difficulté à voir et cela inclut la cécité partielle ou totale. Un déficit visuel grave après correction avec les verres ou les lentilles est défini comme étant une incapacité à lire les caractères d'impression d'un journal. Plusieurs raisons peuvent être à l'origine d'une perte de la vision : une infection, un accident, un empoisonnement, l'âge et une dégénérescence congénitale, telle la rétinite pigmentaire (Viggiani, 2009). Le déficit visuel est plus fréquent chez les personnes de 65 ans et plus. Les quatre maladies qui lui sont le plus souvent associées chez les personnes âgées sont la dégénérescence maculaire, les cataractes, le glaucome et la rétinopathie diabétique.

Voici sommairement quelques moyens utiles pour communiquer plus efficacement avec les personnes qui ont un déficit visuel (Viggiani, 2009 ; Mc Kenna et Liddle, 2006 ; Osborne, 2001) :

- Adapter le matériel éducatif aux appareils optiques utilisés par la personne.

- Les personnes ayant un déficit visuel depuis longtemps ont généralement développé une acuité auditive et tactile pour décoder l'information qui leur est transmise. L'ouïe est souvent particulièrement développée. Il n'est donc pas nécessaire d'élever la voix pour communiquer avec elles.
- Les personnes ayant un déficit plus grave ou atteintes de cécité ne peuvent voir les signes non verbaux de l'éducateur. Il importe donc que celui-ci annonce sa présence, s'identifie et explique clairement ses intentions et ses gestes. La mémoire de ces personnes est souvent meilleure que celle des personnes de la population en général. L'éducateur peut faire appel à ces capacités accrues pour faciliter l'apprentissage.
- Lors des explications d'un procédé, l'éducateur doit décrire avec plus de détails les étapes à suivre et expliquer s'il y a lieu les bruits associés à un traitement ou à un appareil. Il est aussi indiqué de permettre à la personne de toucher, de tenir et de manipuler l'équipement.
- Les personnes ayant un déficit grave ou atteintes de cécité, ne peuvent voir la forme, la grosseur et l'emplacement des objets. On doit donc mettre à profit le sens tactile lors des interventions éducatives pour pallier cette incapacité. Utiliser le braille lorsque cela est possible.
- Utiliser de gros (entre 14-18 points) caractères d'imprimerie (lettres, chiffres, images, symboles) dans les outils éducatifs et limiter chaque ligne à 45 à 60 caractères. Éviter le caractère italique, le fini lustré pour le papier et le carton. Rédiger le contenu en termes clairs et concis et éviter d'utiliser un jargon.
- Utiliser le noir et le blanc (blanc sur noir ou noir sur blanc) pour le matériel écrit ou visuel selon les besoins particuliers de la personne. Utiliser les contrastes de couleurs, par exemple, déposer un objet foncé sur une table blanche.
- Assurer un éclairage suffisant pour la lecture ou le visionnement du matériel éducatif. L'utilisation de lumières incandescentes est indiquée. Allouer le temps nécessaire pour que la vision de la personne s'adapte au changement de luminosité s'il y a lieu

lorsque l'éducateur augmente ou diminue l'éclairage de la pièce ou utilise du matériel audiovisuel.

- Utiliser du matériel audio en complément au matériel visuel.

Dans la partie 2.7 du manuel, nous soulignons l'importance d'adapter l'intervention éducative aux limites de la personne afin de pallier certains déficits. Il arrive toutefois que l'on attribue un déficit à une personne sans que celui-ci soit véritablement réel. Cela peut être le cas notamment lorsqu'on s'adresse à des personnes âgées. Certains préjugés persistent malheureusement à leur égard et on parle alors d'âgisme. Cette attitude peut avoir des répercussions importantes limitant l'efficacité des interventions éducatives.

Tentons de voir plus clair sur ce phénomène.

2.7.4 Contrer l'âgisme lors des interventions éducatives auprès des aînés

De nombreux écrits ont été publiés au cours des dernières décennies au sujet du phénomène de l'âgisme. Il n'est pas de notre intention dans ce manuel d'en traiter de façon détaillée. Nous croyons néanmoins qu'il est essentiel de définir ce terme et de contribuer ainsi à la sensibilisation des professionnels de la santé sur ce phénomène et ses répercussions chez les personnes âgées. Nous croyons également important d'expliquer sommairement comment il est possible de contrer l'âgisme lors des interventions éducatives auprès des aînés et d'assurer ainsi une qualité optimale de l'exercice de la fonction éducative auprès de cette clientèle.

Notre propos s'inspire largement du contenu de l'*Avis sur l'âgisme envers les aînés : état de la situation*, document produit par le Conseil des aînés du Québec (CAQ) en 2010 à la demande de la ministre responsable des Aînés du gouvernement du Québec. Cet avis s'appuie sur des recherches documentaires assez exhaustives. Nous nous inspirons également des principes énoncés par la Commission des droits de l'Ontario (2010), *Combattre l'âgisme : élaboration d'une démarche fondée sur des principes*.

L'âgisme constitue une forme courante de discrimination. Les services de santé ne font pas exception à cette réalité malgré l'existence des chartes des droits et libertés des gouvernements canadien et québécois[22].

Le Conseil des aînés du Québec souligne en effet que les attitudes « âgistes » des professionnels de la santé envers les personnes âgées sont semblables à celles du reste de la population, même ceux qui ont une vaste expérience. Ces derniers acquièrent peu de connaissances sur le processus normal du vieillissement (physique, psychologique, social) et apprennent davantage sur les pathologies et les maladies des personnes âgées. La méconnaissance du vieillissement et des personnes âgées pourrait être à l'origine de l'âgisme. Les personnes les moins informées sur le vieillissement seraient plus susceptibles d'entretenir des attitudes négatives envers les personnes âgées.

Qu'est-ce que l'âgisme ?

L'âgisme est un préjugé, tout comme le sexisme, le racisme ou l'homophobie. Il est fondé sur des croyances, des stéréotypes et des généralisations.

L'âgisme est un processus par lequel des personnes sont stéréotypées et discriminées en raison de leur âge. Ainsi, il n'y a pas que les aînés qui peuvent faire l'objet d'âgisme.

L'âgisme est un concept théorique qui inclut généralement une composante « représentative » (stéréotypes âgistes, préjugés âgistes, fausses croyances envers un groupe d'âge) et une composante « active » (discrimination en fonction de l'âge, préjudice envers un groupe d'âge). Les stéréotypes sont composés d'un ensemble de croyances ou d'opinions qu'on attribue de manière généralisée à l'ensemble des membres d'un même groupe, indépendamment de

22. Charte canadienne des droits et libertés. Droits à l'égalité : la loi ne fait acception de personne et s'applique également à tous, et tous ont droit à la même protection et au même bénéfice de la loi, indépendamment de toute discrimination, notamment des discriminations fondées sur la race, l'origine nationale ou ethnique, la couleur, la religion, le sexe, l'âge ou les déficiences mentales ou physiques (http://laws-lois.justice.gc.ca).

leurs caractéristiques individuelles. Les stéréotypes peuvent être positifs ou négatifs. Cependant, les croyances véhiculées dans la société ont tendance à être plutôt négatives à l'égard des aînés (CAQ, 2010, p. 6).

De l'avis du CAQ, les personnes âgées victimes d'âgisme ont tendance à assimiler les représentations négatives du vieillissement, à se conformer aux stéréotypes véhiculés et, ainsi, à restreindre leur liberté. Lorsque des aînés s'efforcent de se conformer aux attentes de la société en limitant d'eux-mêmes leurs propres possibilités, il s'agit d'une forme d'âgisme auto-imposé. On souligne, à titre d'exemple, des études qui ont démontré que des aînés ont nettement moins bien réussi à des tests de mémoire lorsqu'ils étaient informés que l'étude portait sur les effets de l'âge sur les capacités d'apprentissage et de mémoire, comparativement à des aînés ayant été informés qu'il s'agissait d'une étude devant démontrer que l'âge n'avait pas d'effets.

Certains aînés seraient portés à intérioriser les attitudes négatives qu'on leur attribue et contribueraient ainsi à accentuer les mythes qui les dévalorisent. Les stéréotypes négatifs envers les personnes âgées peuvent donc affecter leurs comportements, leur conduite ainsi que leurs résultats. De plus, l'âgisme affecte l'identité et l'estime de soi des aînés qui en sont victimes. L'âgisme peut également conduire à des problèmes d'abus de substances (alcool, drogue, médicaments). Il contribue au stress pouvant mener à des problèmes de santé mentale et, ultimement, au suicide.

Le CAQ souligne que l'âgisme dans le secteur de la santé et des services sociaux se manifeste sous deux formes. L'une est directe et est perceptible dans des politiques, des programmes ou des services qui excluent systématiquement certains groupes d'âge. Un autre type d'âgisme, qualifié d'indirect, se produit lorsque des praticiens ou des organisations basent leurs décisions et leur prestation de services sur des attitudes et des présupposés âgistes. Les besoins des personnes âgées peuvent ainsi être considérés comme étant moins prioritaires comparativement aux besoins des personnes plus jeunes.

Le CAQ affirme que plusieurs professionnels de la santé auraient tendance à catégoriser les personnes âgées et à considérer leurs symptômes, leurs plaintes et leurs malaises comme étant normaux et associés à leur vieillissement au lieu de les considérer comme des signes de maladie. Ces attitudes négatives sont associées au traitement différentiel dont les personnes âgées peuvent être l'objet dans la décision d'une intervention. Les personnes âgées sont perçues comme étant des patients désengagés, improductifs et inflexibles. On s'adresse avec condescendance aux personnes âgées en leur fournissant de l'information extrêmement simplifiée, avec peu de détails médicaux, et présentée avec détachement. Les personnes âgées sont souvent infantilisées et renforcées dans leur comportement de dépendance. La personne âgée est parfois considérée comme une personne déficiente mentalement et, par conséquent, incapable de décisions sensées sur sa santé.

Selon le CAQ, la plupart des interventions s'adressant aux aînés visent le contrôle des symptômes et le traitement des maladies, tandis que l'aspect promotionnel et préventif de la santé est négligé. Pour des symptômes équivalents, les personnes âgées se font prescrire davantage de médicaments comparativement aux personnes plus jeunes.

Comment contrer l'âgisme lors des interventions éducatives ?

Il s'agit surtout de remettre en question les préjugés à propos de la santé et des capacités des personnes âgées. La santé et les capacités varient énormément chez les personnes âgées. La majorité d'entre elles sont en fait en bonne santé mentale et physique et celles-ci sont souvent présumées fragiles ou inaptes, que ce soit physiquement ou mentalement.

Voici donc quelques suggestions pour contrer l'âgisme lors des interventions éducatives :

- Éviter d'utiliser un langage infantilisant avec la personne âgée, peu importe son état de santé et ses capacités.

- Éviter de vouloir aider inutilement des personnes âgées qui sont tout à fait capables de prendre soin d'elles-mêmes.
- Éviter d'adopter une attitude du genre « il faut s'y attendre à votre âge » ou « il n'y a rien à faire ».
- Éviter le paternalisme : appliqué aux personnes âgées, le paternalisme se manifeste souvent par le retrait des possibilités de prendre des décisions sous prétexte de protéger leur « intérêt supérieur ». On présume que les personnes âgées sont moins capables d'exercer leur autonomie et ont davantage besoin de protection. Le paternalisme envers les personnes âgées en tant que groupe est donc fondé sur un stéréotype voulant qu'elles soient vulnérables, incompétentes et sur leur déclin.

MODULE 3

Évaluer les interventions éducatives : le processus éducatif et les résultats

L'évaluation est la dernière étape de la démarche éducative. Cette étape est cruciale puisqu'elle constitue à la fois un terme et un point de départ pour des interventions éducatives subséquentes. Dans ce manuel, nous traitons de l'évaluation dans une perspective d'amélioration continue de la qualité de la pratique éducative auprès des individus. Il ne s'agit donc pas de l'évaluation systématique d'un programme éducatif. Ce type d'évaluation fait appel davantage à l'ensemble des étapes du processus de la recherche et de l'analyse qualitative ou de l'analyse quantitative des données.

Objectifs d'apprentissage *(Au terme de la lecture de ce module, vous serez en mesure de...) :*

1. Définir deux formes d'évaluation : processus éducatif et atteinte des objectifs spécifiques d'apprentissage (résultats).
2. Décrire des modalités d'évaluation du processus éducatif et de l'atteinte des objectifs spécifiques d'apprentissage (résultats).
3. Situer l'importance de l'utilisation des résultats probants issus de la recherche pour l'amélioration continue de la qualité des programmes éducatifs.

Clarifions d'abord les termes :

Évaluer signifie porter un jugement sur la valeur d'une chose. « C'est se prononcer, c'est-à-dire prendre parti, sur la façon dont les attentes sont réalisées... sur la mesure dans laquelle une situation réelle correspond à une situation désirée » (Legendre, 2005, p. 634).

L'évaluation consiste en une « démarche permettant de porter un jugement, à partir de normes et de critères établis, sur la valeur d'une situation, d'un processus ou d'un élément donné, en vue de décisions pédagogiques ou administratives » (ministère de l'Éducation du Québec, 2004, cité dans Legendre, 2005, p. 630).

Il y a généralement deux formes d'évaluation, plus ou moins formelles, des interventions éducatives : l'évaluation du processus d'enseignement-apprentissage que nous appellerons « processus éducatif » et l'évaluation des résultats, soit l'atteinte des objectifs d'apprentissage.

L'éducateur se pose alors les deux questions suivantes :

a) Est-ce que le **processus éducatif** est jugé satisfaisant par les apprenants ?

b) Est-ce que les interventions éducatives donnent les **résultats** attendus, soit l'atteinte des objectifs d'apprentissage ?... et ultimement l'adoption du comportement visé ?

La qualité des interventions éducatives est largement tributaire de la compétence professionnelle de l'éducateur. Elle fait référence à une pratique éducative fondée sur des assises théoriques éprouvées et sur les résultats probants issus de recherches traitant de l'efficacité des programmes éducatifs. Les personnes visées par les activités éducatives n'ont généralement pas l'expertise nécessaire pour juger objectivement de la compétence professionnelle de l'éducateur. Elles peuvent par ailleurs exprimer leur opinion ou leur satisfaction à l'égard du processus éducatif mis en œuvre pour faciliter les apprentissages et fournir ainsi à l'éducateur des informations précieuses pour améliorer la qualité du service rendu.

3.1 ÉVALUER LE PROCESSUS ÉDUCATIF

Le processus éducatif fait référence à l'action, soit la manière de faire de l'éducateur, à sa façon d'éduquer à la santé et d'enseigner pour faciliter l'apprentissage des connaissances, des attitudes et des habiletés requises pour adopter des comportements favorables à la santé.

Le but visé par l'évaluation du processus éducatif est de permettre de faire le plus rapidement possible les modifications nécessaires pour que les activités éducatives facilitent les apprentissages. Ce type d'évaluation peut être fait en cours d'activité éducative ou au terme d'une ou des activités éducatives.

L'évaluation du processus éducatif se fait le plus souvent de manière assez informelle, à l'aide d'un questionnaire auto-administré ou par une entrevue structurée ou semi-structurée. Quel que soit l'instrument de mesure utilisé, ce dernier doit être le plus valide et le plus fiable possible. Il doit minimalement avoir une bonne validité de contenu, en évaluant l'ensemble des éléments du processus éducatif, et une fiabilité optimale, soit en mesurant avec le plus de précision possible, et sans ambiguïté, les éléments du processus éducatif. L'évaluation se fait à partir des opinions ou de l'appréciation des apprenants. Pour ce faire, on peut utiliser une échelle ordinale de type Likert à quatre ou cinq niveaux.

Le processus éducatif comprend la détermination des objectifs d'apprentissage, le choix de contenus appropriés, l'application des méthodes et l'utilisation des outils éducatifs facilitant l'apprentissage ainsi que la performance de l'éducateur dans « l'art d'enseigner ». De façon plus concrète, voici à titre d'exemple, au tableau 18 ci-dessous, un questionnaire permettant d'évaluer la satisfaction à l'égard du processus éducatif (inspiré de Rankin et collab., 2005; Bastable, 2008). Les questions proposées sont à titre indicatif seulement, pour servir de repères. On peut attribuer un score pour chacune des sections ou un score total. Dans l'exemple ci-dessous, il y a 27 éléments pour un score total maximal de 135 points (27 x 5 points max.). On peut convertir ce score en pourcentage pour une appréciation globale du processus éducatif. Il appartient toutefois à l'éducateur de déterminer la formule la plus utile pour évaluer sa performance. Ainsi, par exemple, un score total de 95 points / 135 points indique un taux de satisfaction de 70,4 % chez la clientèle.

Tableau 18

Exemples de questions permettant d'évaluer le processus éducatif à partir de l'opinion des personnes ayant participé à l'activité

Encercler le numéro correspondant à votre opinion

5 = Totalement d'accord ; 4 = Assez d'accord ; 3 = Neutre ; 2 = En désaccord ; 1 = Totalement en désaccord

Objectifs : *Est-ce que, à votre avis, les objectifs étaient…*					
• Clairement présentés au début de l'activité éducative ?	5	4	3	2	1
• Adaptés à vos besoins d'apprentissage ?	5	4	3	2	1
• Mis en évidence lors de l'activité éducative ?	5	4	3	2	1
Contenu de l'enseignement : *Est-ce que, à votre avis, le contenu était…*					
• Clairement présenté ou expliqué ?	5	4	3	2	1
• Assez précis ?	5	4	3	2	1
• Assez pratique pour vous aider à résoudre un problème ?	5	4	3	2	1
• Présenté avec un niveau de vocabulaire facile à comprendre ?	5	4	3	2	1
• Assez complet pour couvrir vos besoins d'apprentissage ?	5	4	3	2	1
• Relié à vos acquis et vos expériences personnelles pour les utiliser comme étant une source d'apprentissage ?	5	4	3	2	1
Méthodes : *Est-ce que, à votre avis, les méthodes éducatives (façon d'enseigner de l'éducateur) étaient…*					
• Adaptées aux objectifs d'apprentissage ?	5	4	3	2	1
• Adaptées au contenu présenté ?	5	4	3	2	1
• Adaptées à votre style d'apprentissage ?	5	4	3	2	1
• Assez interactives (poser des questions, commenter) ?	5	4	3	2	1
Outils : *Est-ce que, à votre avis, les outils d'enseignement (le matériel utilisé) étaient…*					
• Adaptés au contexte de l'activité éducative ?	5	4	3	2	1
• Adaptés aux objectifs visés ?	5	4	3	2	1
• Adaptés à votre niveau de compréhension ?	5	4	3	2	1
• Attirants pour l'œil, agréables à regarder, à lire, à écouter ?	5	4	3	2	1
• Faciles à lire (lettres contrastées, format assez gros) ?	5	4	3	2	1
• Faciles à utiliser ?	5	4	3	2	1
Performance de l'éducateur : *Est-ce que, à votre avis, l'éducateur…*					
• Maintenait un contact visuel avec vous ?	5	4	3	2	1
• Parlait à un rythme convenable ?	5	4	3	2	1
• Parlait clairement ?	5	4	3	2	1
• Demeurait en contact, centré sur vous ?	5	4	3	2	1
• Donnait des rétroactions reconnaissant votre contribution, votre participation ?	5	4	3	2	1
• Accordait assez de temps pour poser des questions ?	5	4	3	2	1
• Demandait sporadiquement des rétroactions (*feedback*) ?	5	4	3	2	1
• Semblait bien préparé pour faire l'enseignement ?	5	4	3	2	1

Commentaires :

____

____

____

____

3.2 ÉVALUER L'ATTEINTE DES OBJECTIFS SPÉCIFIQUES D'APPRENTISSAGE

L'évaluation des résultats consiste à vérifier si les objectifs spécifiques d'apprentissage ont été atteints. Les tâches ou les critères que la personne doit être capable d'atteindre après l'activité éducative doivent alors être explicités dans les objectifs préalablement définis.

Le critère d'évaluation comporte deux aspects :

1) Un aspect qualitatif : l'action manifestée par la personne est-elle bien celle qui était attendue ? À titre d'exemple, est-ce que l'action attendue de la personne au terme de l'activité éducative est qu'elle soit capable de nommer ? ou de décrire ? ou d'expliquer dans ses mots ? Ou d'exécuter seule (sans aide) ? Ou d'affirmer que... ?, etc. Nous rappelons ici l'importance d'utiliser un verbe d'action observable dans la formulation des objectifs spécifiques d'apprentissage afin de pouvoir évaluer l'atteinte ou non de l'objectif (revoir au besoin le module 1, partie 1.5).

2) Un aspect quantitatif : quel est le seuil de performance attendu ? À titre d'exemple, la personne nommera au moins trois..., exécutera au moins quatre des six étapes de la technique de..., etc. Ici encore, nous rappelons l'importance de préciser le seuil de performance attendu dans l'énoncé d'un objectif particulier d'apprentissage (revoir au besoin le module 1, partie 1.5).

Les objectifs spécifiques d'apprentissage concernent trois domaines d'apprentissage : le domaine cognitif, le domaine affectif et le domaine psychomoteur. Pour chacun de ces domaines, il y a également une hiérarchie des niveaux d'apprentissage, traduisant ainsi la complexité croissante de l'objectif à atteindre. De plus, le verbe d'action utilisé dans l'énoncé de l'objectif spécifique d'apprentissage dicte en quelque sorte le contenu de la question à poser et oriente le choix de la technique à utiliser pour recueillir les données.

Il y a généralement un ensemble de connaissances à acquérir et à comprendre et des attitudes à développer. Ce sont des facteurs prédisposant à l'adoption du comportement de santé visé par les interventions éducatives. Il y a aussi des connaissances à appliquer, des habiletés à acquérir. Ces habiletés sont des facteurs facilitant l'adoption du comportement de santé.

Prenons à titre d'exemple l'objectif d'apprentissage ci-dessous pour une personne adulte devant apprendre le comportement d'autosoin pour une maîtrise optimale de l'asthme :

Au terme de l'activité éducative, la personne sera capable de nommer au moins cinq critères d'une bonne maîtrise de l'asthme.

Selon la taxonomie des objectifs cognitifs de Bloom, cet objectif d'apprentissage est du premier niveau : savoir-connaître. Il s'agit alors d'évaluer l'atteinte de cet objectif à l'aide d'un test de connaissances en utilisant le verbe d'action approprié. Dans ce test, une question ouverte ou une question fermée permettra d'évaluer l'atteinte de l'objectif ci-dessus. Le verbe d'action à utiliser pour évaluer l'atteinte de l'objectif serait ***nommer ou décrire*** les signes de la maîtrise de l'asthme.

Exemple d'une question ouverte :

« *Quels seraient cinq critères d'une bonne maîtrise de l'asthme ?* »

Réponse :

____

____

____

____

Exemple d'une question fermée :

Établir le choix des réponses (inspiré du Plan d'action pour l'asthme, Association pulmonaire du Québec, 2008) : produire une liste de choix de réponses possibles parmi les critères de maîtrise de l'asthme et ajouter quelques signes de détérioration de l'asthme afin d'accroître le pouvoir discriminant des réponses proposées dans la question fermée.

« *Parmi les critères suivants, lesquels sont le signe d'une bonne maîtrise de l'asthme ?* »

(**Cocher la case appropriée**)

☐ Moins de 4 fois par semaine avec des symptômes d'asthme pendant le jour (toux, respiration sifflante, essoufflement, sécrétions, oppression...).

☐ Moins d'une nuit par semaine avec des symptômes d'asthme (toux, respiration sifflante, essoufflement, sécrétions, oppression...).

☐ Capacité de faire mes activités physiques normalement.

☐ Aucune absence à l'école ou au travail à cause de l'asthme.

☐ Chute des débits de pointe entre 60 % et 90 % de la meilleure valeur avant l'utilisation du bronchodilatateur (pompe bleue).

☐ Moins de 15 % de variation du débit expiratoire de pointe (DEP) (durant le jour).

☐ Plus d'une fois par semaine : symptômes d'asthme pendant la nuit, pendant la sieste ou au réveil (toux, respiration sifflante, essoufflement, sécrétions, oppression...).

☐ Besoin plus fréquent du bronchodilatateur (pompe bleue).

L'éducateur doit généralement évaluer l'atteinte de divers types d'objectifs de niveaux différents. Le plus souvent, il lui faudra concevoir ses propres outils d'évaluation.

L'évaluation de l'atteinte des objectifs d'apprentissage implique l'utilisation de méthodes et d'outils variés. Les techniques de collecte des données et les instruments de mesure doivent être appropriés aux objectifs visés et adaptés à la clientèle concernée et au contexte de l'évaluation (lieu, temps et ressources). Pour ce faire, on doit mettre à profit les connaissances acquises dans le domaine de la recherche et de la mesure des variables (les connaissances, les attitudes et les habiletés). Ces notions théoriques ne peuvent être présentées de façon détaillée dans ce manuel de formation. Elles sont par ailleurs disponibles dans les volumes spécialisés traitant du processus de la recherche et des procédés d'élaboration et de validation des instruments de mesure.

Nous présentons néanmoins au tableau 19 ci-dessous quelques principes généraux pouvant guider le développement ou l'adaptation de mesures des résultats ou de l'atteinte des objectifs d'apprentissage.

TABLEAU 19

Principes généraux pouvant guider le développement ou l'adaptation de mesures des résultats de l'intervention éducative ou de l'atteinte des objectifs d'apprentissage (inspiré de Hoffmann et Mc Kenna, 2006)

•	Faire preuve de simplicité : éviter les mots complexes, le jargon et les longues phrases.
•	Utiliser des termes faciles à comprendre : la personne doit pouvoir comprendre les questions, les énoncés et les consignes sans grand effort.
•	Éviter l'ambiguïté : définir les termes au besoin afin que la personne interprète les questions ou les éléments avec justesse.
•	Privilégier un style informel : la mesure du résultat doit être facile à utiliser, être conviviale.
•	Soigner la forme de l'instrument de mesure : texte aéré, consignes clairement énoncées, caractères de grosseur adaptée.
•	Ne pas biaiser les questions : éviter de formuler des questions incitant la personne à répondre dans une direction.
•	Évaluer la qualité de l'instrument de mesure : solliciter l'avis de collègues sur la clarté des questions et sur la validité de leur contenu considérant l'objectif d'apprentissage à évaluer.
•	Prétester l'instrument de mesure : procéder à un test « pilote » de l'instrument auprès des personnes susceptibles de l'utiliser. Noter toutes les formulations ou formes causant des difficultés, telles la longueur ou la confusion. Procéder aux modifications requises au besoin.

L'atteinte des objectifs d'apprentissage peut être mesurée à l'aide de différentes techniques de collecte des données. L'utilisation de chacune de ces techniques présente ses avantages et ses inconvénients en matière de validité, de fiabilité, de simplicité et de coûts (temps et ressources). Les techniques les plus courantes sont les suivantes :

1) L'observation directe à l'aide d'une grille d'observation, lors d'une simulation par exemple, permet d'évaluer avec une bonne validité les habiletés psychomotrices (objectifs du domaine psychomoteur) et les attitudes (objectif du domaine affectif). Se rappeler cependant qu'on ne peut observer directement une attitude, mais plutôt l'inférer à partir d'un comportement observable ou d'une déclaration de la personne sur sa disposition à agir.

2) L'entrevue structurée ou semi-structurée permet d'évaluer les connaissances (objectifs du domaine cognitif) et les attitudes (objectifs du domaine affectif). Elle permet également, jusqu'à un certain point, d'évaluer de façon indirecte les habiletés d'une personne, par la description qu'elle fait des actions. Cette façon de faire est toutefois plus exposée à la distorsion de la réalité. Une personne peut en effet être capable de décrire une action ou une habileté sans être, dans les faits, capable de l'exécuter correctement. À titre d'exemple, une personne peut être capable de décrire les étapes d'une injection de l'insuline sans pour autant être habile à exécuter avec précision chacune des étapes requises.

3) Le questionnaire administré par un tiers ou auto-administré permet d'évaluer les connaissances (objectifs du domaine cognitif) et les attitudes (objectifs du domaine affectif).

   Le questionnaire et l'entrevue structurée ou entrevue semi-structurée peuvent être constitués de questions ouvertes ou de questions fermées, ou les deux. Les questions fermées comportent des choix de réponses déterminées ou des échelles de mesure variées : échelle nominale (exemple : oui, non, ne sait pas, sans objet), échelle ordinale de trois à cinq niveaux (exemple : totalement en accord, assez en accord, assez en désaccord, totalement en désaccord).

4) Le journal de bord est un registre des actions et des observations faites par la personne elle-même sur une période de temps déterminée. Il permet d'évaluer qualitativement la progression des apprentissages (développement de la compétence individuelle) vers l'adoption du comportement visé.

3.3 UTILISER DES RÉSULTATS PROBANTS DANS UNE PERSPECTIVE D'AMÉLIORATION CONTINUE DE LA QUALITÉ DES INTERVENTIONS ÉDUCATIVES ET DES PROGRAMMES ÉDUCATIFS

Dans une perspective d'amélioration continue de ses interventions éducatives, l'éducateur doit aussi assurer une mise à jour de ses connaissances sur l'efficacité des moyens utilisés pour faciliter l'apprentissage des comportements favorables à la santé. Pour ce faire, il est indiqué de consulter régulièrement les publications scientifiques du domaine de l'éducation à la santé et, conséquemment, de fonder l'évolution de la pratique éducative sur les résultats probants des recherches publiées.

Si l'on se réfère au modèle PRECEDE-PROCEED de Green et Kreuter, l'éducation à la santé s'exerce avec la croyance qu'elle peut avoir un effet notable sur l'acquisition des connaissances, des attitudes et des habiletés requises pour l'adoption de comportements favorables à la santé et, ainsi, améliorer ou maintenir la condition de santé (physique et mentale) des personnes. Ces apprentissages sont susceptibles de contribuer ultimement à améliorer la qualité de vie. Mais qu'en est-il réellement ? Quelles sont les stratégies éducatives les plus efficaces pour certains domaines plus particuliers, tels que l'autogestion des maladies chroniques et l'acquisition de saines habitudes de vie ?

Le transfert de connaissances représente un enjeu crucial pour améliorer les pratiques en éducation à la santé. En effet, même si les technologies de l'information et des communications ont beaucoup élargi l'accès des praticiens aux résultats de recherche, il existe toujours un décalage important entre la connaissance produite et celle qui est utilisée dans la pratique de tous les jours.

Les professionnels de la santé ont en effet dorénavant, grâce aux technologies de la communication notamment, un accès illimité aux connaissances scientifiques pertinentes. Les banques de données disponibles fournissent aussi une quantité impressionnante d'articles scientifiques susceptibles de guider les éducateurs dans le choix de stratégies éducatives plus efficientes et plus efficaces. Il s'agit de savoir assurer le transfert de ces connaissances dans la pratique de l'éducation à la santé.

Le transfert des connaissances comprend plusieurs activités. Parmi celles-ci, il y a l'appropriation et l'utilisation des connaissances les plus à jour possible en vue de leur utilisation dans la pratique professionnelle (Lemire, Souffez et Laurendeau, 2009).

Le mot « connaissances » fait référence aux connaissances issues de la recherche scientifique appliquée. Ces connaissances proviennent de rapports de recherche ou d'articles scientifiques ou de produits de synthèse qui visent à intégrer les recherches sur un même sujet, telles les revues de littérature, les revues systématiques et les méta-analyses.

L'appropriation consiste à assimiler de nouvelles connaissances ou une nouvelle façon de concevoir une problématique et à les intégrer dans son bagage de connaissances, d'expertises et de savoir-faire. L'éducateur qui s'approprie de nouvelles connaissances doit tenir compte des connaissances déjà acquises ainsi que de son savoir-faire et de ses expériences pour juger de la pertinence ou de la nécessité de les utiliser pour améliorer la qualité de sa pratique éducative. Il doit également faire appel à son jugement critique quant à la valeur scientifique des écrits consultés.

Les connaissances nouvelles peuvent être utilisées pour apporter un éclairage nouveau sur un problème ou pour approfondir la compréhension de problèmes complexes. À titre d'exemple, la production des connaissances sur les déterminants des comportements de santé a permis de mettre en évidence les liens entre divers facteurs motivationnels et l'action. On comprend ainsi davantage l'importance de planifier et d'intervenir de façon systématique sur la motivation (ou facteurs prédisposants) pour disposer ou mobiliser une personne à l'adoption d'un comportement favorable à sa santé.

Il en est ainsi pour le choix des stratégies éducatives les plus efficaces pour faciliter l'apprentissage. L'éducateur doit utiliser les stratégies éducatives les plus prometteuses pour mobiliser les personnes et les habiliter à devenir plus proactives dans la gestion de leur situation de santé. De la même façon, il importe de s'informer pour évaluer, par exemple, dans quelle mesure et pour quel type de clientèle le réseau Internet peut contribuer à optimiser l'efficacité des interventions éducatives.

Voici plus concrètement en quoi consiste cette démarche de consultation des résultats probants.

Que signifie utiliser des résultats probants ?

C'est « l'utilisation consciencieuse, formelle et judicieuse des meilleures preuves scientifiques dans les prises de décisions concernant les soins aux patients » (Sackett, Rosenberg, Gray et Haynes, 1996, traduction de Goulet et collab., 2004). En d'autres termes, l'utilisation de résultats probants appliquée au domaine de l'éducation à la santé signifie pour un éducateur de se référer aux résultats de recherches crédibles pour décider des meilleurs moyens d'améliorer la qualité de ses interventions éducatives. Il existe un nombre considérable de publications scientifiques traitant de l'évaluation de programmes ou d'interventions éducatives propres à diverses clientèles.

Pourquoi utiliser des résultats probants ?

L'utilisation de résultats probants s'avère pertinente pour :

- Assurer des interventions éducatives plus efficaces ;
- Une consommation prudente et rationnelle des ressources limitées ;
- Une satisfaction accrue de la clientèle ;
- Favoriser de meilleurs résultats sur la santé et la qualité de vie.

Où trouver des résultats probants ?

Il s'agit essentiellement de recenser et de consulter les publications scientifiques traitant du thème retenu. Ces publications sont généralement écrites en langue anglaise et elles se présentent sous forme de méta-analyses ou de revues systématiques ou d'études expérimentales (*randomised control trials*) ou d'autres types de méthodologies de recherche. Elles se trouvent à l'aide des bases de données, par exemple la Collaboration Cochrane, MEDLINE, le Cumulative Index of nursing and Allied Health Literature (CINAHL). Plusieurs publications et périodiques sont disponibles en ligne directement sur Internet. Certaines sont gratuites, d'autres exigent l'abonnement au périodique.

Pour y avoir accès, on peut utiliser des moteurs de recherche ou se rendre à la bibliothèque d'une université ou dans les établissements de santé du réseau public ou universitaire. Voici quelques exemples de périodiques traitant de l'éducation à la santé : *Patient Education and Counseling, Health Education Research, Health Education & Behavior Journal, International Quarterly of Community Health Education.*

Pour illustrer la démarche, voici un exemple de résultats probants sur le thème de l'éducation à la santé à l'intention des personnes ayant un diabète de type 2. Ces résultats proviennent d'une publication de l'Université de Sydney[1].

L'équipe de travail cherchait à obtenir des réponses aux questions suivantes :

1. *Est-ce que l'enseignement structuré est efficace ?*
2. *Comment l'enseignement doit-il être fait ?*
   - *Groupe ou individuel ?*
   - *Durée du programme d'enseignement et des sessions d'enseignement ?*
   - *Contexte et organisation de l'enseignement ?*
   - *L'enseignement : modèles et méthodes ?*
   - *Formation des éducateurs ?*

---

1. National Evidence Based Guideline for Patient Education in Type 2 Diabetes. Prepared by The Diabetes Unit Menzies Centre for Health Policy. The University of Sydney for Diabetes Australia Guideline Development Consortium (2009).

3. *Est-ce que l'éducation des patients diabétiques est efficiente (rapport coûts/bénéfices) et quelles en sont les retombées socioéconomiques ?*

Les recommandations du groupe de travail de l'Université de Sydney découlent de leur analyse de 69 publications (études, revues systématiques et méta-analyses) pour la période de 1989 à 2009.

Il importe de bien distinguer la revue systématique et la méta-analyse comme source de résultats probants.

Les étapes de la revue systématique sont les suivantes :

- poser une question à laquelle on peut répondre ;
- trouver une ou plusieurs bases de données à interroger ;
- élaborer une stratégie de recherche explicite ;
- sélectionner les titres, les résumés et les textes en se basant sur des critères explicites pour les retenir ou non ;
- synthétiser les données sous un format standardisé.

La méta-analyse est une approche statistique visant à combiner les données issues d'une revue systématique pour en tirer des conclusions. Toute méta-analyse devrait donc reposer sur une revue systématique sous-jacente, alors que toutes les revues systématiques ne donnent pas lieu à une méta-analyse.

Si l'on se réfère aux travaux de l'équipe de Sydney, les recommandations issues des résultats probants peuvent être ainsi résumées en ce qui concerne la démarche éducative :

- Privilégier l'éducation faite par une équipe multidisciplinaire.
- Solliciter la participation active des patients pour la détermination des objectifs et la prise de décision.
- Enseignement individuel ou de groupe : effet positif sur l'augmentation des connaissances, la modification des habitudes de vie et certains aspects psychologiques.

- Les interventions éducatives faites sur une plus longue période de temps et avec un suivi assorti de renforcements réguliers sont plus efficaces que les interventions faites dans une courte période de temps.
- L'éducation des patients doit évoluer d'une approche simplement didactique vers une approche fondée davantage sur des modèles théoriques d'autonomisation.
- Il n'y a pas de « meilleure » approche éducative, mais celles qui intègrent des stratégies d'orientation psychosociale donnent de meilleurs résultats.
- Les stratégies adaptées aux caractéristiques culturelles et à l'âge ont de meilleurs résultats.

Voilà donc autant de pistes d'actions susceptibles d'améliorer la qualité des interventions éducatives.

Les résultats probants ont par ailleurs également des limites. En voici quelques-unes :

- Ils offrent généralement peu d'informations précises et détaillées sur les stratégies éducatives évaluées.
- Plusieurs études ne sont pas fondées sur des modèles théoriques.
- Peu de données quantitatives confirment l'efficacité de l'éducation à la santé.
- Il n'y a pas de consensus sur l'efficacité de différentes approches (individuelles ou de groupe).
- On trouve des données contradictoires entre des études sur l'efficacité des interventions éducatives.

Le message à retenir, c'est qu'il est important de ne pas maintenir le *statu quo* ou les routines établies dans la pratique de l'éducation à la santé. L'éducateur compétent est celui qui s'assure de la mise à jour de ses connaissances et qui s'engage sans relâche dans un processus d'amélioration continue de la qualité, des processus et des résultats, de ses interventions éducatives.

Glossaire de l'éducation à la santé

Alphabétisation ou alphabétisme : capacité d'utiliser et de comprendre l'information fondamentale pour la vie au travail, à la maison et dans la collectivité, au quotidien.

Apprentissage : perception et intégration des connaissances, des attitudes et des habiletés requises pour l'adoption de comportements favorables à la santé.

Attitude : état d'esprit, disposition intérieure acquise qui incite à une manière d'être ou d'agir.

Autonomisation (*empowerment*) : processus par lequel les personnes possèdent les connaissances, les attitudes, les habiletés et la conscience de soi nécessaires pour influencer leurs propres comportements et ceux des tiers afin d'améliorer leur qualité de vie.

Autosoin : décision et action d'une personne qui présente un problème de santé afin d'y faire face, de s'y adapter et d'améliorer sa condition de santé.

Besoin d'apprentissage : écart à combler entre le niveau actuel des connaissances, des perceptions et des croyances, des attitudes, des valeurs et des habiletés de la personne et le niveau requis pour prédisposer et faciliter l'adoption d'un comportement favorable à la santé.

Cadre de référence : ensemble des concepts et des définitions formant un langage commun. Il sert d'assise pour le développement des pratiques professionnelles. Il permet de structurer l'action et de s'orienter dans un domaine.

Comportement : manière de se comporter, de se conduire, d'agir, de vivre.

Démarche : manière générale de percevoir, de penser, de raisonner, d'agir, d'intervenir, de procéder, de progresser (exemples : démarche de planification, démarche éducative, démarche pédagogique).

Démarche éducative : démarche de résolution de problème appliquée à l'éducation à la santé : planifier, intervenir, évaluer.

Déterminant d'un comportement de santé : événement ou caractéristiques pouvant être la cause directe d'une intention ou de l'adoption d'un comportement de santé. Les connaissances acquises, les besoins perçus, certaines croyances, les attitudes et les valeurs, l'environnement physique et social et certains événements peuvent être déterminants pour la décision d'une personne d'adopter un comportement de santé.

Domaine d'apprentissage cognitif : apprentissages des connaissances, du savoir.

Domaine d'apprentissage affectif : apprentissage des attitudes et des valeurs.

Domaine d'apprentissage psychomoteur : apprentissage d'habiletés psychomotrices, telles la dextérité et la coordination lors de l'application de certaines techniques.

Domaines d'apprentissage : catégories d'apprentissages visés par les interventions éducatives.

Éducation : ensemble de valeurs, de concepts, de savoirs et de pratiques dont l'objet est le développement de l'être humain ; développement de l'ensemble des potentialités ; développement du sens de l'autonomie. L'éducation a une visée plus large que l'enseignement.

Éducation à la santé ou éducation pour la santé : ensemble planifié d'expériences d'apprentissage visant à prédisposer une personne et à la rendre apte à adopter volontairement des comportements favorables à la santé ainsi qu'à soutenir l'adoption de ces comportements.

Éducation thérapeutique des patients : ensemble d'activités éducatives visant à aider les personnes à acquérir ou à maintenir les compétences dont elles ont besoin pour gérer leur traitement et prévenir les complications évitables afin de maintenir ou d'améliorer leur qualité de vie. Ce type d'éducation fait partie du traitement de la maladie.

Enseignement : le terme enseignement, par opposition à éducation, met l'accent davantage sur la transmission des connaissances. L'enseignement fait partie de l'action éducative, mais la finalité de l'éducation est plus large, plus « holiste ».

Entretien motivationnel : méthode de communication directive, centrée sur le client, pour augmenter la motivation intrinsèque au changement par l'exploration et la résolution de l'ambivalence.

Habileté : objet d'apprentissage qui fait référence à l'utilisation efficace de processus cognitif, affectif, moral et moteur relativement stables dans la réalisation efficace d'une tâche ou d'un agir.

Intervention éducative : action, manière d'agir d'un éducateur en interaction avec une personne en vue de finalités, de buts et d'objectifs explicites.

Littératie en santé : mesure qui indique qu'une personne est capable d'obtenir, de traiter et de comprendre l'information de base sur la santé et les services dont elle a besoin pour prendre des décisions éclairées sur sa santé.

Méthodes éducatives : ensemble de techniques agencées en vue d'atteindre un ou des objectifs pédagogiques. Réalisation concrète des activités d'enseignement et d'apprentissage.

Outil éducatif : moyen ou matériel associé à une méthode éducative afin de faciliter l'enseignement-apprentissage.

PRECEDE-PROCEED : acronyme pour Predisposing, Reinforcing and Enabling Constructs in Educational Diagnosis and Evaluation. PROCEED : acronyme pour Policy, Regulatory and Organizational Constructs for Educational and Environmental Development : modèle théorique de planification en promotion de la santé.

Programme éducatif: ensemble d'interventions éducatives organisées de façon cohérente et de ressources mises en œuvre en vue de faciliter les apprentissages nécessaires pour l'adoption de comportements favorables à la santé.

Qualité de vie: perception qu'a un individu de sa place dans l'existence, dans le contexte de la culture et du système de valeurs dans lesquels il vit, en relation avec ses objectifs, ses attentes, ses normes et ses inquiétudes. Il s'agit d'un large champ conceptuel, englobant de manière complexe la santé physique de la personne, son état psychologique, son niveau d'indépendance, ses relations sociales, ses croyances personnelles et sa relation avec les particularités de son environnement.

Santé: concept plus large que l'absence de maladie. Capacité d'adaptation d'une personne, sa capacité de vivre au maximum de son potentiel physique, psychologique et social et de décider des choix d'actions pour améliorer sa qualité de vie.

Stratégie: manière de procéder pour atteindre un but précis. La stratégie peut être pédagogique ou didactique, ayant ainsi pour but de faciliter l'enseignement-apprentissage. Elle peut aussi être éducative, ayant alors un but plus large, soit le développement du potentiel et de l'autonomie de la personne. Dans le domaine de l'éducation à la santé, les stratégies utilisées sont le plus souvent à la fois pédagogiques et éducatives.

Teach back: façon de faire qui consiste à répéter les informations, à résumer le propos, à expliquer à nouveau les points essentiels. Il peut aussi s'avérer utile de reformuler dans les mêmes termes que ceux qui sont utilisés par la personne afin de s'assurer d'avoir bien saisi comment elle a compris les informations et les explications.

Liste des tableaux

Bibliographie

Agence de la santé publique du Canada (1986), Charte d'Ottawa pour la promotion de la santé : une conférence internationale pour la promotion de la santé, http://www.phac-aspc.gc.ca/ph-sp/docs/charter-chartre/index-fra.php.

Anderson, R.M., et M.M. Funnell (2010), « Patient empowerment : Myths and misconceptions », *Patient Education and Counseling*, 79, p. 277-282 ; doi : 10.1016/j.pec.2009.07.025.

Archambault, Guy (2000), *47 façons pratiques de conjuguer enseigner avec apprendre*, Québec, Presses de l'Université Laval.

Association canadienne de santé publique (2001), *Le Journal de bord du capitaine.*

Association pulmonaire du Québec, Plan d'action asthme, www.poumon.ca/info-asthme.

Atherton, J.S. (2011), *Learning and Teaching ; Bloom's taxonomy*, http://www.learningandteaching.info/learning/bloomtax.htm.

Babcock, Dorothea, et Mary A. Miller (1994), *Client education Theory and practice*, St. Louis (Missouri), Mosby.

Bartholomew, L.K., G.S. Parcel, G. Kok et N.H. Gottlieb (2001), *Planning health promotion programs : an Intervention Mapping approach* (3e éd.), San Francisco (Calif.), Jossey-Bass.

Bastable, Susan B. (2008), *Nurse as Educator. Principles of teaching and learning for nursing practice* (3e éd.), Sudbury (Mass.), Jones and Bartlett.

Braungart, Margaret M., et Richard G. Braungart (2008), *Applying Learning Theories to Health Care Practice*, dans Susan B. Bastable (ed.), *Nurse as Educator. Principles of teaching and learning for nursing practice* (p. 51-84), Sudbury (Mass.), Jones and Bartlett.

Breslin, M., R.J. Mullan et V.M. Montori (2008), « The design of a decision aid about diabetes medications for use during the consultation with patients with type 2 diabetes », *Patient Education and Counseling*, 73, p. 465-472.

Brien, Robert (1994), *Science cognitive et formation* (2e éd.), Québec, Presses de l'Université du Québec.

Burke, J.M., J.A. Dannick, B. Benis et C.J. Durgin (1994), « A process approach to memory book training for neurological patients », *Brain Injury*, 8, p. 71-81, dans Kryss Mc Kenna et Leigh Tooth (2006), *Client Education. A partnership approach for health practitioners* (p. 254), Sydney (Australie), University New South Wales Press Book.

CEFRIO (2008), *Veille stratégique. Le Québec à l'heure du virage santé*, CEFRIO.qc.ca.

Centre international des femmes de Québec (2006), *Guide pour travailler avec un interprète*, http://www.cifqfemmes.qc.ca/documents/guide_pour_travailler_avec_un_interprete_cifq.pdf.

Chamberland, Gilles, Louisette Lavoie et Danielle Marquis (1995), *20 formules pédagogiques*, Québec, Presses de l'Université du Québec.

Cohen-Emerique, M. (1993), « L'approche interculturelle dans le processus d'aide », *Santé mentale au Québec*, 19 (1), p. 71-92.

Commission des droits de l'Ontario (2010), *Combattre l'âgisme : élaboration d'une démarche fondée sur des principes*.

Conner, Mark, et Paul Norman (2005), *Predicting Health Behaviour* (2e éd.), London, Open University Press.

Conseil des aînés du Québec (2010), *Avis sur l'âgisme envers les aînés : état de la situation*, Bibliothèque nationale du Québec, Gouvernement du Québec, mars, www.conseil-des-aines.qc.ca.

Conseil canadien sur l'apprentissage (2007), *Littératie en santé au Canada : résultats initiaux de l'Enquête internationale sur l'alphabétisation et les compétences des adultes*, Ottawa, Canada, www.ccl-cca.ca.

Cuche, D. (2001), *La notion de culture dans les sciences sociales* (nouv. éd.), Paris, La Découverte.

Detaille, Sarah I., Joost W.J. van der Gulden, Josephine A. Engels, Yvonne F. Heerkens et Frank J.H. van Dijk (2010), « Using intervention mapping (IM) to develop a self-management programme for employees with a chronic disease in the Netherlands », dans Detaille et collab., *BMC Public Health 2010*, http://www.biomedcentral.com/1471-2458/10/353.

Falvo, Donna R. (2004), *Effective Patient Education, a guide for increased compliance* (3e éd.), Sudbury (Mass.), Jones and Bartlett.

Fitzgerald, Kathleen (2008), *Instructional Methods and Settings*, dans Susan B. Bastable (ed.), *Nurse as Educator. Principles of teaching and learning for nursing practice* (p. 429-468), Sudbury (Mass.), Jones and Bartlett.

Fleming, Jenifer, et Tamara Ownsworth (2006), *Educational Partnerships with clients who have cognitive impairment*, dans Kryss Mc Kenna et Leigh Tooth, *Client Education. A partnership approach for health practitioners* (p. 246-270), Sydney (Australie), University New South Wales Press Book.

Foucaud, J., J.A. Bury, M. Balcou-Debussche et C. Eymard (dir.) (2010), *Éducation thérapeutique du patient. Modèles, pratiques et évaluation*, Saint-Denis, INPES, coll. « Santé en action », 412 p.

Friedman, P., et R. Alley (1984), « Learning/teaching Styles : Applying the principles », *Theory into Practice*, 23 (1), p. 77-81.

Funnell, M.M. (2004), « Patient empowerment », *Critical Care Nursing Quaterly*, 27 (2), avril-juin, p. 201-204.

Funnell, Martha, Tammy L. Brown et Belinda P. Child (2010), « National standards for diabetes self-management education », *Diabetes Care*, vol. 33, supplement 1, nº 21, janvier.

Gagnon, Hélène, José Côté et Gaston Godin (2012), « La planification des interventions », chapitre 4 (p. 111-133), dans Gaston Godin, *Les comportements dans le domaine de la santé. Comprendre pour mieux intervenir*, Presses de l'Université de Montréal.

Gauthier, Clermont, et Maurice Tardif (1996), *La pédagogie. Théories et pratiques de l'Antiquité à nos jours*, Montréal, Gaëtan Morin.

Glanz, Karen, Barbara K. Rimer et K. Viswanath (2008), *Health Behaviour and Health Education : Theory Research and Practice* (4e éd.), San Francisco (Calif.), Jossey Bass.

Godin, Gaston (2012), *Les comportements dans le domaine de la santé. Comprendre pour mieux intervenir*, Presses de l'Université de Montréal, 324 p.

Goudet, Bernard (2005), «Les perspectives ouvertes de la promotion de la santé. Les "notions d'empowerment" et de "compétences psychosociales"», CRAES-CRIPS, Aquitaine, www.education-sante_aquitaine.fr.

Goulet, Céline, A. Lampron, D. Morin et M. Héon (2004), « La pratique basée sur les résultats probants. Partie 1: Origine, définitions, critiques, obstacles, avantages et impacts », *Recherche en soins infirmiers*, n° 76, mars, p. 12-18.

Gouvernement du Québec (2010), Ministère de la Santé et des Services sociaux (MSSS), *Plan stratégique 2010-2015*, http://publications.msss.gouv.qc.ca/acrobat/f/documentation/2010/10-717-02.pdf.

Gravel, S., et A. Battaglini (dir.) (2000), *Culture, santé et ethnicité. Vers une santé publique pluraliste*, Montréal, Régie régionale de la santé et des services sociaux de Montréal-Centre.

Green, Lawrence W., et Marshall W. Kreuter (1999), *Health Promotion Planning. An Educational and Ecological Approach* (3e éd.), Mountain View (Calif.), Mayfield Publishers.

Hainsworth, Diane S. (2008), *Instructional Materials*, dans Susan B. Bastable (ed.), *Nurse as Educator. Principles of teaching and learning for nursing practice* (p. 473-510), Sudbury (Mass.), Jones and Bartlett.

Haute Autorité de santé (HAS) (2007) « Éducation thérapeutique du patient. Définition, finalités et organisation », http://www.has-sante.fr.

Haute Autorité de santé (HAS) (2007), « Structuration d'un programme d'éducation thérapeutique du patient dans le champ des maladies chroniques », http://www.has-sante.fr.

Hernandez-Tejada, M.A., J.A. Campbell, R.J. Walker, B.L. Smalls, K.S. Davis et L.E. Egede (2012), « Diabetes empowerment, medication adherence and self-care behaviors in adults with type 2 Diabetes », *Diabetes Technology and Therapeutics*, 14 (7), p. 630-634.

Hickson, Louise (2006), *Educational Partnerships with clients who have hearing impairment*, dans Kryss Mc Kenna et Leigh Tooth, *Client Education. A partnership approach for health practitioners* (p. 226-239), Sydney (Australie), University New South Wales Press Book.

Hoffmann, Tammy, et Kryss Mc Kenna (2006), *Evaluation of client education* (p. 159-183), dans Kryss Mc Kenna et Leigh Tooth, *Client Education. A partnership approach for health practitioners* (p. 254), Sydney (Australie), University New South Wales Press Book.

Jackson, C. (1997), « Behavioural science and principles for practice in health education », *Health Education Research*, 12 (1), p. 143-150.

Johnstone, B., et H.H. Sonnington (2001), *Rehabilitation of neuropsychological disorders : a practical guide for rehabilitation professionals*, dans Kryss Mc Kenna et Leigh Tooth (2006), *Client Education. A partnership approach for health practitioners* (p. 251), Sydney (Australia), University New South Wales Press Book.

Jourdan, Didier, Clermont Ferrand et Dominique Berger (2008), « Les ancrages théoriques de l'éducation pour la santé », *Le Bloc-notes*, http://www.leblocnotes.ca/node/2427.

Kim, H.J., D.T. Burke, M.M. Dowds Jr., K.A. Robinson Boone et G.J. Park (2000), « Electronic memory aids for outpatient brain injury : follow-up findings », *Brain Injury*, 14, p. 187-196, dans Kryss Mc Kenna et Leigh Tooth (2006), *Client Education. A partnership approach for health practitioners* (p. 254), Sydney (Australie), University New South Wales Press Book.

Kitchie, Sharon (2008), *Caracteristics of the learners*, dans Susan B. Bastable (ed.), *Nurse as Educator. Principles of teaching and learning for nursing practice* (p. 91-140), Sudbury (Mass.), Jones and Bartlett.

Knowles, Malcolm (1990), *L'apprenant adulte. Vers un nouvel art de formation*, Houston (Texas), Les Éditions d'organisation.

Kolb, David A. (1984), *Experiential Learning : Experience as the source of learning and development*, Englewood Cliffs (N.J.), Prentice-Hall.

Krau, Stephen D. (2011), « Creating educational objectives for patient education using the new Bloom's taxonomy », *Nursing Clinics of North America*, 46 (3), septembre, p. 299-312.

Lazarus, Richard S., et Suzan Folkman (1984), *Stress Appraisal and Coping*, New York, Springer.

Legendre, Renald (2005), *Dictionnaire actuel de l'éducation* (3e éd.), Montréal, Guérin.

Lemire, Nicole, Karine Souffez et Marie-Claire Laurendeau (2009), *Animer un processus de transfert des connaissances. Bilan des connaissances et outil d'animation*, Direction de la recherche, formation et développement. Institut national de santé publique du Québec, http://www.inspq.qc.ca.

Lemonnier, Fabienne, Julie Bottéro, Isabelle Vincent et Christine Ferrant (2005), *Référentiel de bonnes pratiques. Outils d'intervention en éducation pour la santé : critères de qualité*, Saint-Denis cedex, France, Éditions INPES (Institut national de prévention et d'éducation pour la santé).

Le Petit Larousse illustré 2008, Paris, Larousse.

London, Fran (1999), *No time to teach. A nurse's guide to patient and family education*, Philadelphia, New York, Lippincott.

Lorig, Kate (2001), *Patient Education. A practical approach* (3e éd.), Thousand Oaks (Calif.), Sage.

Lowenstein, Arlene J., et John A. Reeder (2009), *Making Learning Stick*, dans Arlene J. Lowenstein, Lynn Foord-May et Jane C. Romano (ed.), *Teaching Strategies for Health Education and Health Promotion. Working with patients, families, and communities* (p. 158-165), Sudbury (Mass.), Jones and Bartlett.

Massé, R. (1995), *Culture et santé publique : les contributions de l'anthropologie à la prévention et à la promotion de la santé*, Montréal, Gaëtan Morin.

Mc Kenna, Kryss, et Jacki Liddle (2006), « Educating Older Clients », dans Kryss Mc Kenna et Leigh Tooth, *Client Education. A partnership approach for health practitioners* (p. 188), Sydney (Australie), University New South Wales Press Book.

Mc Kenna, Kryss, et Leigh Tooth (2006), *Client Education. A partnership approach for health practitioners*, Sydney (Australie), University New South Wales Press Book.

Mc Laughlin, G.H. (1969), « SMOG-grading : A new readability formula », *Journal of Reading*, 12, 639-646, dans Susan B. Bastable (ed.), *Nurse as Educator. Principles of teaching and learning for nursing practice* (p. 257 et 596-600), Sudbury (Mass.), Jones and Bartlett.

Miller, William R., et Stephen Rollnick (2006), *L'entretien motivationnel. Aider la personne à engager un changement*, Paris InterÉditions (traduction de l'édition originale *Motivational interviewing : preparing people for change*, publiée en 2002).

Mucchielli, Roger (1985), *Les méthodes actives dans la pédagogie des adultes. Connaissance du problème* (5e éd.), Paris, Éditions ESF, coll. « Formation permanente en sciences humaines ».

Murray, M.A., T. Miller, V. Fiset, A. O'Connor et M.J. Jacobsen (2004), ds Ligne directrice sur les pratiques exemplaires en soins infirmiers. Bâtir l'avenir des soins infirmiers, mars 2006, www.rnao.org.

Nelson, Janice (2008), *Ethical, Legal, and Economic Fondations of educational process*, dans Susan B. Bastable (ed.), *Nurse as Educator. Principles of teaching and learning for nursing practice* (p. 25-46), Sudbury (Mass.), Jones and Bartlett.

Newton, P., S. Scambler et Asima Kopoulou (2011), « Marrying contradictions : healthcare professionals perceptions of empowerment in the care of people with type 2 diabetes », *Patient Education and Counseling*, 85 (3), p. E326-E329.

O'Neill, Michel, Sophie Dupéré, Ann Pederson et Irving Rootman (2006), *Promotion de la santé au Canada et au Québec, perspectives critiques*, chap. 1 et 3, Québec, Presses de l'Université Laval.

Organisation mondiale de la santé (1999), Glossaire de la promotion de la santé élaboré par Don Nutbeam, Centre collaborateur OMS pour la promotion de la santé, Université de Sydney (Australie), http://www.quebecenforme.org/media/1449/ho_glossary_fr.pdf.

Organisation mondiale de la santé (1990), *Manuel d'éducation pour la santé dans l'optique des soins de santé primaires*, Genève.

Organisation mondiale de la santé (1978), Déclaration d'Alma-Ata sur les soins de santé primaires, http://www.who/fr.

Organisation mondiale de la santé (1996), Rapport de l'OMS-Europe, *Therapeutic Patient Education – Continuing Education Programmes for Health Care Providers in the field of Chronic Disease*, traduit en français en 1998.

Osborne, Helen (2001), *Overcoming communication barriers in patient education*, Gaithersburg (Maryland), Aspen.

Osborne, Helen (2011), « Confirming Understanding with Teach-Back Technique », *Patient Education Update newsletter*, http://www.patienteducationupdate.com/2011-10-01/article2.asp.

Owen, Wilson Leslie (2006), « Beyond Bloom – A new Version of the Cognitive Taxonomy », http://www4.uwsp.edu/education/lwilson/curric/newtaxonomy.htm.

Passeport santé, site http://passeportsante.net.

Prochaska, J.O., J.C. Norcross et C.C. DiClemente (1994), *Changing for good*, New York, William Morrow.

Rankin, Sally H., Duffy K. Stallings et Fran London (2005), *Patient Education in Health and Illness. Principles, Practices* (5e éd.), Philadelphia, Lippincott Williams & Wilkins.

Raymond, Danielle (2006), *Qu'est-ce qu'apprendre et qu'est-ce qu'enseigner ?*, Montréal, Association québécoise de pédagogie collégiale (AQPC).

Redman, Barbara K. (2001), *The Practice of Patient Education* (9e éd), St. Louis, Mosby.

Richard, Claude, et Marie-Thérèse Lussier (2005), *La communication professionnelle en santé*, Saint-Laurent (Québec), ERPI, chap. 20, p. 503-527.

Richards, Eleonar, et Kirsty Digger (2008), *Compliance, Motivation, and Health Behaviors of the learner*, dans Susan B. Bastable (ed.), *Nurse as Educator. Principles of teaching and learning for nursing practice* (p. 199-224), Sudbury (Mass.), Jones and Bartlett.

Rollnick, Stephen, Pip Mason et Chris Butler (1999), *Health Behavior Change : A guide for practitioners*, New York, Churchill Livingstone.

Rollnick, Stephen, William R. Miller et Christopher C. Butler (2009), *Pratique de l'entretien motivationnel. Communiquer avec le patient en consultation*, Paris, InterÉditions.

Rosenberg, E. (2005), « Les patients accompagnés », dans C. Richard et M.-T. Lussier, *La communication professionnelle en santé*, Saint-Laurent (Québec), ERPI, chap. 20, p. 503-527.

Rotter, J.B. (1954), *Social learning and clinical psychology*, Englewood Cliffs (N.J.), Prentice-Hall.

Serrano-Gil, M., et S. Jacob (2010), « Engaging and Empowering patients to manage their type 2 diabetes », Part I : A knowledge, attitude, and practice gap ?, *Adv. Ther.*, 27 (6), p. 321-333.

Sommer, Johanna, Pascal Gache et Alain Golay (2005), « L'enseignement thérapeutique et la motivation du patient », dans C. Richard et M.-T. Lussier, *La communication professionnelle en santé*, Saint-Laurent (Québec), ERPI, chap. 26, p. 655-667.

Sopczyk, Deboraw L. (2008), « Technology in education », dans Susan B. Bastable (ed.), *Nurse as Educator. Principles of teaching and learning for nursing practice* (p. 515-552), Sudbury (Mass.), Jones and Bartlett.

Stonecypher, Karen (2009), « Creating a patient education tool », *The Journal of Continuing Education in Nursing*, vol. 40, nº 10, octobre, p. 462-467.

Tang, T.S., M.M. Funnell, M.B. Brown et J.E. Kurlander (2010), « Self-management support in real-world settings : An empowerment-based intervention », *Patient Education and Counseling*, 79, p. 178-184.

Thomson, C., et E. Crutchlow (1993), « Learning style research : A critical review of the literature and implications for nursing education », *Journal of professional nursing*, 9 (1), p. 34-40, dans Susan B. Bastable (2008), *Nurse as Educator. Principles of teaching and learning for nursing practice* (3e éd.), Sudbury (Mass.), Jones and Bartlett.

Tourette-Turgis, Catherine (1996), *Le counseling : théorique et pratique*, coll. « Que sais-je ? », 126 p., cité dans *Counseling, santé et développement* (2002), http://www.counselingvih.org/fr.

Tourette-Turgis, Catherine (1992), *Guide de prévention. Comment conduire des actions en éducation pour la santé sur l'infection par le VIH auprès des jeunes en milieu scolaire*, Édition Comment dire et AFLS, cité dans *Counseling, santé et développement* (2002), http://www.counselingvih.org/fr.

Tse, Samson, Chris Lloyd et Kryss Mc Kenna (2006), « When clients are from diverse linguistic and cultural backgrounds », dans Kryss Mc Kenna et Leigh Tooth (ed.), *Client Education. A partnership approach for health practitioners*, San Diego (Calif.), Plurial Publishing, chap. 14, p. 307-326.

Vallerand, Robert J., et Edgar E. Thill (1993), *Introduction à la psychologie de la motivation*, Laval (Québec), Éditions Études vivantes.

Viggiani, Kay (2009), *Special Populations*, dans Susan B. Bastable (ed.), *Nurse as Educator. Principles of teaching and learning for nursing practice* (p. 343-347), Sudbury (Mass.), Jones and Bartlett.

Vissandjée, B., et S. Dupéré (2000), « La communication interculturelle en contexte clinique : une question de partenariat », *Revue canadienne de recherche en sciences infirmières*, 32 (1), p. 99-113.

Warnier, J.-P. (1999), *La mondialisation de la culture*, Paris, La Découverte.

Webb, Patricia (1994), *Health promotion and patient education. A professional's guide*, chap. 3, « Some ethical issues in health and patient education », London, Chapman & Hall.

Wilson, B.A., et N. Moffat (ed.) (1992), *Clinical Management of Memory Problems*, San Diego (Calif.), Singular, dans Kryss Mc Kenna et Leigh Tooth (ed.), *Client Education. A partnership approach for health practitioners* (p. 254), Sydney (Australie), University of New South Wales Press.

Xu, Ping (2012), « Using teach-back for patient education and self-management », *American Nurse today*, vol. 7, nº 3, http://www.americannursetoday.com/article.aspx.